Nicolas Bouvier

Le vide
et le plein

Carnets du Japon 1964-1970

Édition établie et préfacée par Grégory Leroy

Gallimard

*Cet ouvrage a paru initialement aux Éditions Hoëbeke,
dans la collection « Étonnants voyageurs », dirigée par Michel Le Bris.*

Nicolas Bouvier, né en 1929 à Genève, grand voyageur, mais aussi écrivain, poète, photographe et iconographe, a laissé derrière lui une œuvre à la fois complexe et lumineuse.

Il a, dans des ouvrages comme *L'usage du monde*, *Chronique japonaise* ou encore *Journal d'Aran et d'autres lieux*, développé une véritable mystique du voyage. Après s'être usé sur les routes qui l'ont conduit de Genève à Tokyo dans les années 1950, et avoir achevé son voyage intérieur au bout de lui-même à Ceylan (*Le poisson-scorpion*), il a souvent évoqué le lien qui unit, selon lui, le voyage, l'existence et l'écriture.

Nicolas Bouvier est mort le 17 février 1998 à Genève.

Grégory Leroy et l'éditeur remercient
Éliane, Manuel et Thomas Bouvier,
la Bibliothèque publique et universitaire de Genève,
et Régis Arnaud, à Tokyo.

Préface

En 1963, Nicolas Bouvier publie à compte d'auteur un premier livre intitulé L'usage du monde *qui lui vaut, c'est la moindre des choses, le grand respect d'un public alors très clairsemé de la littérature de voyage. Parmi ces admirateurs : Charles-Henri Favrod, tout récent créateur de la collection « l'Atlas du voyage », qui propose à Nicolas de partir — repartir, en fait, nous en reparlerons — au Japon, pour préparer un album dont il serait l'écrivain, le photographe et l'illustrateur. Mais Nicolas travaille lentement, et Genève, après tant d'années sur les routes, on s'y ennuie, à force : pourquoi ne pas s'installer au Japon pour quelque temps — plutôt que de se satisfaire d'un bref aller-retour ? En compagnie cette fois d'Éliane, sa femme, et de son fils Thomas.*

Embarquement à Marseille le 19 janvier 1964, sur le Laos, *cargo mixte des Messageries maritimes dont les lignes, après l'Inde et l'Indochine, se prolongent jusqu'à Yokohama. Suez, Aden, Bombay, où*

*vit un des frères d'Éliane, qu'ils saluent au passage,
Saigon : le* Laos *entre le 24 février dans la baie
d'Osaka. Kyoto est à une petite heure de train, au
travers de la campagne japonaise piquée de ban-
lieues. Japon...*

*C'est là que s'est achevée pour Nicolas, en 1956,
une errance de cinq ans débutée à Genève, prolongée
en compagnie de son ami peintre Thierry Vernet, à
travers Yougoslavie, Grèce, Turquie, Iran, Afghanistan, Pakistan[1], poursuivie en Inde puis à Ceylan[2], avant de gagner le Japon. Cette fois-ci, il a
charge d'âmes, et d'autant plus que s'annonce un
autre membre de la famille, puisque Éliane est enceinte. Plus question de se nourrir un jour sur deux
ou de se contenter d'un banc pour logis. On s'organise. On court le cachet. Nicolas place des photographies et des articles dans des revues qui paient
mal. Ils sont mannequins ou figurants pour la publicité — les jeunes Occidentaux, ça ne court pas les
rues dans le Tokyo des années 1960 —, la famille
aide un peu. On survit. Tandis que Nicolas noircit
les pages de ses carnets verts et noirs, qu'il appellera
plus tard ses « carnets gris ».*

*En décembre 1965, mère depuis un an de Ma-
nuel, Éliane rentre à Genève. Nicolas la suit quatre
mois plus tard. Et se met dès son retour au travail,*

---

1. *L'usage du monde*, devenu un livre de légende pour tous
les amoureux de la littérature de voyage, nous en offre une
superbe chronique.
2. Séjour dont il fera le récit dans *Le poisson-scorpion*.

bouclant en moins d'un an le manuscrit de Japon,
*qui paraît à Lausanne en 1967, aux éditions Ren-
contre. Peu de place pour le journal intime dans ce
texte de commande avant tout historique. La plus
grande part de ses carnets de voyage reste donc iné-
dite. Et le restera lorsque, à la demande de Michel
Le Bris pour sa toute nouvelle collection « Voya-
geurs-Payot », Nicolas, en 1988, reprend le texte de*
Japon, *en lui ajoutant de courts extraits de son journal de 1956 et 1964 et le rebaptisant* Chroniques
japonaises.

*C'est la totalité de ces carnets qui nous publions
enfin aujourd'hui.*

*Ceux-ci datent pour l'essentiel de 1964 et 1965,
même s'ils évoquent à l'occasion des souvenirs ou des
observations datant du premier séjour de 1956. Ils
s'achèvent sur le court séjour de 1970, à l'occasion
de l'Exposition universelle d'Osaka.*

*Nicolas avait déjà retravaillé et corrigé ces carnets,
dont nous avons trouvé au moins deux états tapés à
la machine, en plus du manuscrit. Bien sûr, nous en
avons retranché les passages déjà connus, mais ils
étaient peu nombreux. Puis nous avons fait apparaître dans le texte les corrections manuscrites ap-
portées par Nicolas au tapuscrit. Ce furent là nos
seules interventions.*

*Textes courts, scènes captées sur le vif, avec une
précision de photographe, ou de dessinateur habile à
saisir tout un monde d'expressions dans le mouvement d'un seul trait, fragments d'éternité devinés*

dans l'éclair d'un instant, pensées fraîches et sans apprêt, telles qu'elles peuvent venir dans le mouvement du voyage : tout le génie de Nicolas est déjà là, entier, et son style incomparable, à l'éclat diamantin.

Le charme extrême de ces carnets tient précisément à leur caractère fragmentaire : les lier dans une sauce qui ne serait pas de lui aurait eu, nous semble-t-il, quelque chose d'incongru. Voici donc Nicolas Bouvier au fil des jours, au fil des routes, bohémien enchanté — le meilleur des compagnons de voyage, assurément, qui nous propose ici de cheminer avec lui, sans façon. Qui bouderait ce pur plaisir ? Une leçon de style, et une leçon de vie, sans y paraître : l'usage du monde, au quotidien.

Le lecteur sera peut-être surpris par les nombreux anglicismes de ces carnets. Qu'il garde à l'esprit que l'anglais fut et reste la lingua franca *du continent asiatique dans lequel Nicolas a infusé si longtemps — de cette Inde qui est son cœur et son morceau de choix, et dont il parla si peu, de Ceylan où il cuisit à petit feu avant son premier débarquement à Tokyo, en 1956, et surtout de ce Japon occupé par le protecteur américain. Si Nicolas apprit quelques rudiments de japonais, il parlait un anglais admirable.*

Première partie

KYOTO,
LA PETITE CHRONIQUE

... Nous vivions alors dans un temple sévère et superbe que nous partagions avec un potier australien, quelques mille-pattes géants, une grande couleuvre centenaire et des araignées aux mœurs paisibles mais qui sortaient tout droit de la science-fiction. Frondaisons merveilleuses, cigales, et les clochettes et sutras de l'office des morts chaque matin dans les cimetières voisins. Pivoines et bambous. Thomas chassant les papillons avec une filoche entre les tombes. Éliane attendant son enfant et peignant lorsque cette grossesse abominable lui en laissait le courage et le temps. Moi vagabondant à pied dans les campagnes du Kansai[1] en longeant les rivières pour pouvoir m'y tremper quand le sang commençait à bouillir. On a traversé ainsi l'été le plus chaud du siècle. Vous auriez dû voir la

1. Région du centre de l'île de Honshu, autour de Kyoto. (*N.d.E.*)

ville : un paysage de petits boutiquiers étendus comme des morts sur le pavé pour tirer de la pierre la première fraîcheur du soir, et d'ouvriers endormis la joue sur leur éventail. Une torpeur collective qui a duré deux mois. Faillites nombreuses, nombreux suicides.

Cette ville — une des dix au monde où il vaut la peine d'avoir vécu — a pour moi, malgré sa douceur, quelque chose de maléfique. Austère, élégante, mais spectrale. On ne serait pas trop surpris au réveil de ne plus la retrouver du tout.

(extrait d'une lettre)

Février 1964

Comment les Japonais faisaient-ils avant la radio ? Ici, elle marche partout, et sans trêve, et fort. Pour l'instant, c'est du Jaques-Dalcroze niais passé au papier de verre, avec des mots français relatifs à l'amour. On sent déjà que cet amour ne sortira guère des sentiers qu'on lui a prescrits. C'est chanté en mesure et toutes les notes sont rondes. Ici, une sorte de correction technique vient souvent à la rescousse du manque d'invention. Le genre musical japonais par excellence : la sonatine. Clementi, l'Orphée des familles (d'autant plus fondé que les Japonais trouvent une sorte d'ivresse dans la correction).

L'agent nous propose une maison dans un quartier populaire. Il préférerait nous y voir installés plutôt que d'y loger des Japonais. L'étranger a bien des défauts mais il a une qualité qui compte : après un temps, il s'en va. Le Japonais, lui, s'établit pour toujours. Des cousines arrivent de province pour travailler en usine, on se serre, on les loge, puis une relation de la famille qui doit suivre un traitement à l'hôpital. On se serre encore et du même coup on trouve moyen de faire une petite place à par exemple trois étudiants. D'une façon ou de l'autre, tous ces parents paient ou paieront le locataire japonais et les produits de cette industrie passent sous le nez du propriétaire et surtout de l'agent qui sont bien obligés de s'en accommoder. Intervenir pourrait les mener plus loin qu'ils ne le désirent et d'ailleurs, avec la part de compromis, de vague, de réticence et d'hésitation inhérente à toute conversation japonaise, ils n'en sortiraient plus. À présent, il neige. L'agent fait le tour de la maison en crachant à plusieurs reprises. Il se racle abominablement la gorge et absorbe des pastilles. Ce qui m'intéresse à présent, c'est d'être délivré de cet individu. Tant pis pour la maison. Un mur gris bien visible l'entoure. D'un geste sans réplique, il me fait comprendre que *ce* mur entoure *cette* maison. Sur ce point au moins, nous n'avons aucune peine à nous entendre. Mais lorsqu'il s'agit de *shikikin* (pas-de-porte), *kenrikin* (caution) et *tessurio* (commission), j'ai l'impression de jouer aux quatre coins. Pendant qu'il me dispense de la commission — une faveur qu'il me fait — le pas-de-porte dont il n'avait jamais été question refait surface. Plutôt que des « quatre coins » c'est des boules du prestidigitateur qu'il s'agit : on voit la paume ouverte, elles sont derrière la main.

Le langage : plus embarrassé à mesure que la catégorie sociale s'élève, parce que les échos, contrecoups, ramifications et conséquences d'une erreur si bénigne soit-elle sont en raison directe de l'importance que leur auteur s'accorde, ou possède réellement. Si vous ne parvenez pas à vous faire entendre d'une vendeuse à l'étalage, aucun espoir d'y parvenir avec le chef de rayon — qui sait un peu d'anglais et a suivi un cours spécial pour pouvoir affronter l'étranger. Elle était simplement dépassée ; il vous opposera une incompréhension hiérarchiquement renforcée. Il n'a en tout cas pas à s'aventurer dans des improvisations qui pourraient tourner à sa déconfiture. Ni à comprendre cette phrase japonaise que vous lui adressez, pourtant claire, mais qui contient trois fautes. Un garçon de course, une paysanne un peu éméchée ou le livreur-cycliste d'un restaurant comprendra par contre aussitôt : le temps qui presse, la situation modeste qu'il occupe, bref ! cette forme de stupidité n'est pas dans ses moyens. Au besoin, il crayonne sur un demi-billet de cinéma un plan qui est la clarté même et file où son vélo l'appelle.

« *Hinsureba tsuzuru* » (la pauvreté rend ingénieux).

Exposition artisanale des ères Meiji et Taisho

On vous vend un programme de plusieurs pages. Vous entrez : eh bien, il n'y a presque rien dans les vitrines : un panier de bambou tressé dans lequel on mettrait quatre pommes et signé par un certain Rokanzai Iizuka, troisième d'une dynastie de tresseurs de paniers, dispose d'autant d'espace qu'un grand Rubens dans un de nos musées. Quelques mètres plus loin se trouve un cendrier de bronze, plus loin encore, une écharpe de soie. Tout cela signé, bien entendu. On cherche à donner l'impression que chaque objet forme le centre d'une pièce vide, et on y parvient. Également graves et humbles et espacés sont les visiteurs, et nageant dans cet espace comme dans un luxe auquel on ne serait pas accoutumé. Ici, si vous voulez honorer un homme ou un objet, donnez-lui de l'espace. Promené pendant une heure dans cette exposition sans parvenir à savoir ce que j'en pensais ; comme s'il n'y avait pas eu assez de substance pour supporter un jugement.

Au deuxième étage, la peinture. Plusieurs chromos admirablement fignolés et d'un goût discutable — un serpent avec des seins de femme enlaçant une rose. Des toiles « d'ambiance européenne » très directement inspirées de Vuillard, Pissarro, Munch, Elzingre, Bonbois, Rousseau, certaines bien peintes et belles, et puis ces influences ne me gênent pas, si ce n'est par le manque de fraîcheur qui en résulte. Même dans celles qui sont réussies, on sent plus de tracas que d'élan. Il y a pourtant un petit paysage nocturne qui se distingue du lot par sa liberté. On se dit : en voilà un qui a *vu* quelque chose. On s'approche, c'est signé Cesario Cavalcanti. Encore un qui n'a pas pu reprendre le bateau.

Mars

Dans le train de Nara j'observe un vieux campagnard dont la bonne tête de Mongol est coupée en deux par un rayon de soleil. Il a posé sur ses genoux un panier d'un très beau travail de vannerie qui contient deux œufs durs, porte des sandales de paille et des braies de paysan toutes reprisées auxquelles les lessives ont donné une belle teinte aubergine. Il lit très attentivement une brochure illustrée sur… l'église de Saint-

Philibert à Tournus. Je me dis qu'après tout il n'est pas impossible que ce vieux Diogène rustique n'ait au cours de réincarnations successives inventé l'art roman et la photographie. Comme il lève justement les yeux et me prend sur le fait, je m'incline avec un peu d'embarras — on ne sait trop que faire dans ces cas-là. Il hoche vigoureusement la tête, l'air de penser : « Ce n'est pas toujours très drôle de prendre des photos, mais enfin... s'il le faut... » et se replonge dans son livre.

Ces paysans-lettrés culottés par les averses, lecteurs de Jakob Burckhardt ou de Romain Rolland, et qui subsistent grâce à — par exemple — un peu d'apiculture, forment une catégorie particulière au Japon — tradition chinoise ? confucianisme ? liberté chèrement acquise, loisirs de la morte-saison conduisant à la méditation et aux lectures ? C'est quand je pense à eux que le Japon me manque — plus qu'aux demoiselles de Takarazuka — ; il est vrai qu'on ne leur demande pas les mêmes services. Parfois la presse découvre un de ces anachorètes et vient le photographier en train de marcotter son jardin. Exemple à proposer à la jeunesse qui ne rêve que *six-shooters* ou motos. Et puis cette frugalité érudite, ça a un « grain » qui fait s'extasier les connaisseurs.

Si l'on me demande ce qui me séduit le plus au Japon je dirai bien sûr : les femmes — cela est un autre chapitre qui demande à être développé comme il convient —, mais tout de suite après les femmes, les cimetières. Il y a quelque chose de juste et de doux dans les cimetières japonais : un retour à une nature qu'on arrange à peine et qui vous reprend comme vous étiez, et moins brutalement qu'en vous mettant en terre. À peine un nom, d'ailleurs posthume, une grosse pierre, de la mousse, des séparations mal marquées entre les tombes, si bien que les petits bouquets flétris déposés là — dans des pots de yaourt — sont à tout le monde, des effigies du bouddha *o-jizo*[*] semées comme au hasard — et plus le vent les use, plus ces visages ont l'air paisible et bienveillant —, un puits pour l'arrosage avec une corde de paille neuve. Entre les tombes, c'est plein d'enfants en bicyclettes qui font du surplace, ou au contraire la course, et d'autres qui remplissent leurs frondes avec du gravier. Ces cimetières sont situés dans le voisinage de temples souvent assez délabrés et parfois on peut y voir des bonzes en robe violette brûler de beaux vieux lambris qui prennent mal et dont les antiquaires du « Village suisse » donneraient une fortune. Réfection. On va les remplacer par des neufs, plus beaux encore. Cela fait cinq cents ans qu'on fait les mêmes et les artisans ne manquent pas.

[*] Pour la définition des mots suivis d'un astérisque, se reporter au lexique en fin d'ouvrage.

Acheté des laitues d'une vieille gesticulante dans un petit marché en plein vent. Son geste — que j'aime — de s'écraser le nez avec l'index pour signifier : moi, puis les paumes ouvertes balayant l'air devant sa figure pour dire : rien. Elle n'est pas allée à l'école. « *Zen zen wakaranai* » (elle n'y comprend rien). Ça ne nous empêche pas le moins du monde de nous entendre. Au Japon, la vivacité d'esprit semble être le privilège des simples. Les études les amidonnent et les engluent, tant qu'elles ne sont pas dépassées. Parfois on tombe au bistrot sur des espèces de Christ recrucifiés très propres qui ont un visage en vieux bois et portent — étendard des intellectuels — un béret basque. Ils ont fait des études et comme ils ont ensuite pris la peine de les oublier entièrement, ce sont les gens dont il y a le plus à apprendre. Mais n'attendez rien d'un étudiant, je le répète : rien de plus amidonné qu'un étudiant. Leur maudit costume noir à boutons d'acier, ils sont tout entiers là-dedans !

Au premier étage du café « Ishi » à Gion, on peut voir de la sculpture abstraite : de beaux aubiers de cerisier transformés en bielles, cannelés en forme de radiateurs, mais d'un grain, d'une exécution, d'une sûreté de goût si parfaite que tous les sculpteurs européens dont on s'est inspiré se sentiraient — s'ils passaient par ici — comme des gamins malpropres qui ont fait des pâtés. Lorsqu'un artiste japonais s'inspire d'un exemple étranger, il commence par en retrancher tout « ce qui pèche encore » puis y ajoute de la patine et du hasard en proportions minutieusement dosées, et cela devient parfait, concerté, mort.

Moi qui ai essuyé tout l'après-midi — il y a des jours comme ça — des regards goguenards ou hostiles, je regarde avec malveillance ces abstractions de bois ou de métal, l'esprit à des lieues de tout ça, poursuivant une sorte de soliloque morose (du Schumann sort d'un haut-parleur au-dessus des sculpteurs qui ont eux aussi des têtes très élaborées) qui donne ceci : « Les gars, ce n'est pourtant pas ma faute si, voilà vingt ans, papa a voulu attaquer l'Amérique et n'a pas réussi. »

Ce qui émeut dans les quelques écrits des anciens maîtres zen chinois, c'est la présence simultanée et continuelle de tout : au plus froid de l'hiver l'idée du printemps réjouit tellement l'un d'entre eux qu'il en « brise son bâton sur les souches mortes ». Le voyageur, le bon, devrait posséder à un certain degré cette qualité d'imagination qui permet de situer des vertus même momentanément absentes, de flairer la pépite, le bien virtuel, la truite sous la glace. Il devrait en somme non seulement suppléer à sa propre insuffisance, mais encore aux défaillances momentanées de ce qu'il observe. Cette attitude ne résultant d'ailleurs pas d'un optimisme à la Pangloss, mais d'une économie bien comprise, car la vie est courte, et l'étude de la qualité plus profitable que l'étude de son contraire.

Cela serait bien utile au Japon, pays qu'on trouve certains jours tout cuirassé de refus maussades et fermé comme une bernacle. Alors on ne sait qu'y faire, ni très bien ce qu'on y fait. Il entre de ce désarroi dans le donjuanisme un peu niais et éperdu dont certains Occidentaux donnent ici le spectacle — des pères tranquilles prenant soudain des allures de Roméo — parce que coucher avec des femmes, même payées, leur donne l'impression vengeresse de forcer ce pays qui ne s'ouvre pas. Il faut ensuite les entendre parler de leurs conquêtes : atterrant. Mais beaucoup de solitude, de déceptions et d'illusions perdues s'expriment et se rattrapent par ces rodomontades. Il ne faut pas apporter au Japon une âme sentimentale.

En Europe, on n'est hélas pas plus intelligent qu'ailleurs ; tout de même, l'idée que certains commerçants de Kyoto se font de la bêtise de l'étranger est proprement insultante. Dans une librairie ancienne de Marutamachi, cette carte d'Edo — la mer en occupe la moitié — que pour m'allécher davantage le libraire m'assure être une carte de Kyoto ! Comme elle me plaisait, je l'ai prise tout de même ; j'aurais pu lui en voler une que je l'aurais certainement fait mais j'étais trop bien surveillé. Il faut faire sa varicelle : ce que je n'aimais pas ici la première fois, je le hais maintenant. Ce que j'ai aimé, je compte bien l'aimer davantage.

Hier après-midi, aidé un voyageur français à photographier des érotiques dans une maison de thé de Gion. C'est la jeune patronne d'un « Caffé-Jazz », très éprise du voyageur en question, qui a obtenu ces documents d'un libraire sous prétexte de vente, et semble fort pressée d'aller les rapporter. Photographié ça à toute allure dans les rires et dans la belle lumière du soleil couchant, pendant que la fille, à genoux sur le tatami, repassait avec un fer à charbon de bois certaines de ces peintures sur soie — des doublures d'anciens kimonos de geisha encore pleines de foutre — pour leur donner meilleur aspect. Gaieté de bon ton, enfin un après-midi dans un climat léger et vif, et ce genre de femmes un peu ribaudes, amères et libres reposent des grands cons mélancoliques qu'on voit peiner sur leurs notes dans les cafés littéraires ou murmurer les yeux perdus « *I love you hate* » à une soucoupe qui ne répond pas. Quant aux estampes — époque Tokugawa, quelques bons maîtres —, plutôt que d'érotisme au sens où nous l'entendons, c'est d'un mélange de grotesque et d'histoire naturelle qu'il s'agit. Sans esthétisme aucun, ni retenue. Le jeu d'organes énormes très crûment figurés, l'air stupide, affairé, béat des partenaires. Aucune frivolité, aucun parfum de fruit défendu : la rencontre d'une betterave et d'un chou frisé, et voilà ! Tout ça n'est pas pour moi.

Hier soir, en remontant du sanctuaire de Chion in où tous les éventaires étaient déjà bâchés et où un jeune moine de blanc vêtu récoltait le contenu des troncs placés devant les *kami*[*] et circulait dans les allées dégouttantes de pluie chargé d'un lourd sac de sous, j'ai heurté un ivrogne qui tournoyait au bord du trottoir, ébloui par les phares des camions. Il s'est accroché à mes revers et a manqué me jeter par terre. Tout cela pour me demander du feu. Il a fallu s'y reprendre à quatre fois. Il est reparti dans la nuit, tantôt titubant, tantôt à quatre pattes — gros visage blême et gonflé d'alcool cherchant des sous répandus sur la chaussée en criant : « *I love you.* »

L'écriture naît d'une illusion : illusion que je suis meilleur que moi-même, plus pénétrant, généreux et sensible. Illusion aussi que je suis capable d'écrire. Lorsque cette illusion est maintenue assez longtemps — comme un révélateur qu'on porte à température — elle devient réalité, j'écris et je m'ajuste aux exigences de l'écriture. L'écriture c'est mon théâtre et si je ne sais pas toujours comment la pièce commence, je sais par contre qu'elle finit bien. Chaque fois que je me laisse déranger, c'est comme si on rallumait dans la salle, comme si des spectateurs se levaient et partaient bruyamment avant que la moindre phrase d'un peu de portée et de poids ait été prononcée sur la scène.

L'illusion a donc son rôle à jouer dans ma vie : c'est un moteur parmi d'autres, c'est une variété roturière de l'acte de foi dont on ne se sent pas toujours capable. Il y a ainsi des rapports très étroits entre l'illusion et l'édification de l'être, ceci permettant souvent cela.

Mars (suite)

Le ciel n'est pas un usurier mais je sais qu'il me demandera des comptes pour chacune des journées passées dans cette paix, dans ces grands arbres, dans cet espace, luxe suprême du Japon. Si je ne parviens pas à y travailler aussi bien que je m'en sens l'envie, c'est alors que le goût du malheur l'emporterait chez moi sur toute autre passion. Ici, un Japonais sur deux transporte avec soi sa nappe de mélancolie, de mal du siècle et d'ennui et il faut redoubler de vitalisme et de vigilance pour ne pas être contaminé par ce climat. Le Japon est d'ailleurs le royaume des « tranquillisants » et « euphorisants » de toutes sortes et tous les prétextes pour s'en administrer sont bons. Aucun pays n'a bien sûr le monopole de l'angoisse mais ici existe une forme de difficulté d'être, une névrose centrale qui relève de la sociologie et non plus du cas particulier.

Zen et christianisme : peu de rapports. Dans saint Paul cependant il y a ceci : « *Si quis videtur entre vos sapiens esse in hoc saeculo, stultus fiat ut sit sapiens* » (Si quelqu'un parmi vous se croit sage en ce monde, qu'il devienne fou pour être sage… — 1 Corinthiens, 3,18).

À la fête du temple de Suma, un grand gaillard de vingt ans qui a joué un moment avec Thomas revient nous chercher : sa maison est toute proche et ses parents désirent notre visite. Le père est un médecin enrichi aimable et embarrassé qui ne sait trop comment se tirer du mauvais pas dans lequel l'initiative de son fils l'a placé. Il fait en silence l'inventaire des mots allemands ou anglais qu'il nous jette ensuite, à nous de nous débrouiller. De temps à autre il consulte rapidement en japonais sa femme qui est fraîche et jolie pour lui demander ce qu'il pourrait encore bien nous dire pour faire passer le temps. Et elle, sans hésiter : « Tu pourrais leur montrer les papillons dans la vitrine de la salle à manger » ou « Fais-leur voir la piscine ». Ainsi, pendant une heure, lui souffle-t-elle tout ce qu'il va s'employer à dire laborieusement en anglais. Lui, il n'a rien à dire : il est médecin et possède une clinique privée fort coûteuse qui s'appelle « Confiance mutuelle », un point c'est tout.

A-t-on affaire à une situation qui présente un risque d'imprévu, on envoie les femmes en avant-garde. Si le malheur veut qu'elles perdent la face, cela a moins de conséquences. Aussi ont-elles depuis toujours servi, dans tous les cas délicats, d'intermédiaires et de porte-parole aux hommes qui ne s'exprimaient que par ordres laconiques, borborygmes et grognements. Comme elles étaient également tenues de deviner sur-le-champ leurs humeurs et désirs — alors qu'ils n'étaient pas tenus à la réciproque — elles ont l'esprit incomparablement plus dégourdi et cette différence ne manque pas de frapper l'étranger. Subalternes mais ingénieuses et venant sans peine à bout de leurs solennels époux, un peu comparables aux *graeculi* des comédies de Plaute ou de Térence, qui, pour toutes les couleuvres qu'ils avalent, n'en finissent pas moins par tenir le bon bout.

Un mal de la radio japonaise : le concours-crochet. Même des fillettes, par classes entières, doivent passer par cette épreuve si dure pour l'orgueil et les nerfs. La maîtresse de piano — kimono gris perle et gestes mesurés où l'émotion est bien enfouie — installe le tabouret et l'élève (une gamine de dix ou douze ans) qui part comme une flèche dans sa sonatine. Au métronome, tout dans le *mezzo*. C'est propre et sans élan. Si les Japonais ont leurs instants d'épanchement, ils font plus confiance encore à la discipline et dans un sens, Czerny serait leur Dieu. Au milieu d'un trait difficile, le gong du jury met fin à l'exercice. Un monsieur se lève, remercie l'exécutante et l'engage à travailler plus dur encore. « *Hai* » (oui), murmure la fillette d'une voix blanche, puis disparaît dans la coulisse et... revient. Non, elle n'est pas revenue ; c'en est une autre, mais tellement semblable à la première.

Avril

... Comment tout cela finira-t-il ? Je fais des photos pas tellement brillantes et il me reste autant de sensibilité qu'à un linge éponge. Je ne puis m'empêcher d'accompagner Éliane dans certaines de ses exaspérations, ce qui me coupe des instants de satisfaction (naïve peut-être et illusoire, mais c'est du vent dans les voiles et on fait le point ensuite) bien nécessaires à mon métabolisme mental. Peut-être faut-il profiter de ces circonstances pour cerner les défauts du pays, en faire l'inventaire et en avoir fini avec ce chapitre qui, en somme, ne m'intéresse pas. Ne pas être béat est aussi une vertu, être à vif puisque le pays ne l'est plus (il l'était encore en 1956), à vif comme les « casseurs » professionnels qui se limaient les ongles à ras pour mieux sentir les serrures.

Japon : pays sans serrures, voilà encore une belle niaiserie et un bon tour que nous joue le langage. Pas de serrures parce que les individus n'ont pas d'importance. Mais d'une autre manière, c'est tout le pays qui est fermé.

Il y a dans la saveur des plats japonais quelque chose qui masque leur valeur nutritive. C'est bon au palais, mais rien dans le goût ne suggère que le corps s'en fortifie — sentiment que le pain et le vin me donnent — comme s'il était souhaitable que cet aspect fâcheux ne soit pas rappelé. La cuisine chinoise n'a pas tant de pudeur : ici, tous les plats d'origine chinoise, on s'y attaque avec l'impression, peu relevée peut-être mais naturelle, qu'on en profite. Même ces misérables raviolis chinois (*gyosa*) — reliefs d'abattis, ail, raclures d'assiettes — se donnent le fumet et l'allure d'un plat qui va vous nourrir pour trois jours.

Il y a dans une brochure du Japan Travel Buro une phrase bien révélatrice : « *The Japanese dishes are a pleasure for the* eye. » C'est d'ailleurs exact. Il y aurait comme de l'inconvenance à ce qu'ils soient aussi un plaisir pour la bouche.

Ce qui est absolument bon dans le Kansai, c'est ce résidu campagnard qu'on retrouve même chez les citadins endurcis lorsqu'ils ont un peu bu. Quand on voit dans les « bar-à-café » des rédacteurs littéraires en chemise « mode » prendre à leur insu — alors qu'ils répètent « *so desuka ?* » — un air de paysan abruti mais bon, à peine sorti de sa paille, on est touché par quelque chose d'éminemment sympathique qui vous repaie de bien des contrariétés. Tous ceux qui ont aimé le Japon me comprendront.

D'autres de ces littérateurs, avec leurs joues rondes et leur vieux béret tout décoloré, font penser à des cèpes un peu gâtés mais encore bons.

« *Nice girls ?* »

C'est un homme égayé par l'alcool qui me fait cette proposition si peu de mise dans ce quartier patricien, provincial, au silence incomparable. Mais il y a tout de même une sorte de restaurant derrière ces grands arbres et les *nice girls* sont de solides servantes d'âge canonique, parfaitement correctes, qui ne se donnent qu'à bon escient et dont les aurifications d'ogresses feraient reculer les plus hardis.

L'être le plus proche devient aussi par instants celui qu'on hait le plus : miroir fidèle de nos insuffisances et de nos défaites. Comme si en brisant le reflet on supprimait l'objet. Cela nous ramène à la valeur de l'illusion dans l'édification de l'être. L'illusion ou le souvenir qu'on peut avoir d'un soi potentiel est un aussi bon moteur que l'humilité ; on marche tantôt sur l'un tantôt sur l'autre. Qui contribue par son regard ou par sa présence à faire avorter cette projection ou ce projet — il est très difficile de décoller de soi devant témoin et ce n'est pas pour rien que les bêtes veulent être seules pour mourir — celui-là devient l'ennemi, la cage, le rappel des barreaux qu'on sciait en rêve. Ressentiment puéril mais puissant qui est comme l'ombre de l'amour. Les solides ont toujours une ombre.

Il ne faut jamais oublier ceci : il y a dans toute entreprise une part de supercherie qui, une fois le résultat atteint, se transforme en vérité. Il ne faut jamais non plus perdre de vue que ce qu'on désire, c'est l'impossible, et que cet impossible vous est finalement donné, sans que nos efforts et nos angoisses y soient pour grand-chose.

Ainsi moi, je suis une pierre qui rêve de devenir fontaine. Une aridité qui m'épouvante, voilà mon écueil. Il y a cette note dans mon horoscope : trois signes secs et brûlés qui se renforcent et crient de soif. Qu'y a-t-il de plus sec que la pierre et de plus généreux que l'eau ? Cependant les pierres deviennent fontaines et nous oublions de nous étonner de ce miracle.

> « Quand tous les sages du monde et tous les saints du Paradis m'accableraient de leurs consolations et de leurs promesses, et Dieu lui-même de ses dons, s'il ne me changeait pas moi-même, s'il ne commençait pas au fond de moi une nouvelle opération — au lieu de me faire du bien, les sages, les saints et Dieu exaspéreraient au-delà de toute expression mon désespoir, ma fureur, ma tristesse, ma douleur et mon aveuglement. »
>
> Sainte Angèle

Cette belle phrase est citée par Rilke, que je redécouvre avec plaisir. Les Japonais trouvent en lui une sorte de frère et je connais au moins deux « Café-Rilke » à Tokyo — dans l'un d'eux, des boîtes d'allumettes à la rose portant le quatrain « *Rose, oh reiner Widerspruch...* ». Ce n'est pas une mandarinade, ce n'est pas non plus cet exotisme littéraire dont les Japonais sont si friands — et qui d'ailleurs n'en raffole pas sottement ? — mais c'est l'effet d'une familiarité profonde et ressentie. Le « reiner Widerspruch » étant un état bien propre à parler au cœur des Japonais, mal cousus dans leur éthique tracassière et déchirés entre des polarisations contraires. Hors de sa condition ingrate, le Japonais va chercher refuge dans des techniques portées à leur point de perfection : poterie, haïku, calligraphie, etc., dont le zen a su tirer parti.

Le zen se proposait entre autres de tirer les Japonais d'affaire en détruisant toutes les catégories, la dialectique des contraires et la distinction sujet-objet (au Japon, le « sujet » l'est doublement, étant en outre le sujet de mille personnages ou instances plus haut placés que lui).

Or il y a très marqué chez Rilke ce désir de s'effacer et de se dissoudre pour pouvoir rejoindre l'endroit où les choses « se passent vraiment », pour supprimer les limites du moi. Chez un homme qui commence un poème par cette phrase : « Qui vit ma vie… ? », le « sujet » a déjà du plomb dans l'aile. Mais il faut ajouter que chez Rilke, cette ambition est affectée d'un signe positif : ce qu'il veut rejoindre, c'est tout de même « quelque chose ».

Quand le Japonais en a assez de se sentir à l'étroit dans ses paysages sans horizon, il s'en tire en entrant dans une pomme ou dans une noix.

Ce qui m'agace ici, c'est l'usage qu'ils peuvent faire de l'enfance : voix d'enfants en renfort derrière des programmes de gymnastique télévisée, des images de chaton d'avril, de la publicité surtout. Voyez ! notre produit est bon, on ne vous trompe pas : même les enfants s'en mêlent. Comme si l'enfance justifiait leurs poudres à lessive et, de façon plus générale, lavait la médiocrité de l'âge mûr ! Je trouve ces enfants bons bougres de se laisser ainsi mettre à toutes les sauces. Ils sont bien dignes de grandir, vraiment. De véritables petits adultes.

Il est vrai qu'au sujet du zen, les artistes européens ont la tête chaude et confuse et se flattent d'en trouver dans toutes leurs entreprises. S'ils barbouillent une toile avec un mélange de suie et de foutre : ils ont peint zen, ça leur est venu « comme ça... ».

Mais les Japonais mêlent Schumann à tout. À la télévision, du dentifrice s'étale sur une brosse à dents : Schumann.

L'empereur ? Les gens de la ville le tiennent pour un excellent homme et les allées et venues de sa famille fournissent de la copie aux magazines : la princesse Z. se languit, elle n'a pas le droit (protocole) d'aller faire du shopping dans les grands magasins. Et tout le monde s'en mêle parce qu'il faut bien s'occuper l'esprit. Ensuite elle va mieux — ah bon ! Mais pas plus que ça, et son anniversaire tient sur deux colonnes à peine dans les grands journaux.

D'autre part, mon professeur de japonais qui n'a rien d'un jacobin me dit : « On ne lui est pas franchement hostile, mais enfin, qu'est-ce que c'est que cet homme qui ne gagne pas sa vie ? »

Au temple du dieu de la guerre (Hachiman) dans la colline de Yawabata, durant tout un après-midi j'ai assisté à des exercices d'art militaire traditionnel. Arc, escrime au sabre, judo, karaté. C'était plein de cérémonial et d'attitudes et les cerisiers dans la cour du temple sont précisément en fleur. Au bout de deux heures cependant, on se lasse de voir ces gens en découdre et ces visages qui ne paraissent bons qu'à ça. Au moment où je suis parti, deux femmes colossales en longues jupes noires faisaient mine de s'occire à coups de hallebarde en poussant d'affreux grognements. J'avais l'impression que toutes ces simagrées, hiérarchies, costumes, points d'étiquette n'étaient là que pour excuser et dissimuler un noyau de vide autour duquel cette carapace se serait construite.

Un Japonais, ôtez-lui sa situation, son grade, ses *dan*, ses patrons qui le font trimer et ceux qu'il peut faire trimer à son tour, on a le sentiment qu'il ne reste *rien* ! (nous, il ne nous reste pas grand-chose, mais tout de même). Le Japon : comme le bambou, son arbre : gracieux, dur, des sensibilités et des frémissements au bout des branches, vernissé à l'extérieur et creux dedans.

Ce qu'il y a de plus difficile pour les Japonais : la présence d'esprit, et non pas l'intelligence dont ils ont autant — ou aussi peu que nous. Mais l'effort qu'il faut faire pour l'amener à fleur de peau, cet effort leur répugne. Leur bête noire, c'est l'improvisation. C'est pourquoi, en dépit de leur curiosité qui est infinie et de leur bon vouloir — souvent grand —, ils préfèrent éviter l'étranger qui ne sait pas « ce qui est convenable » et va, par ses bévues, les mettre en demeure d'improviser.

Quand, dans un film de samouraïs, les événements qui se précipitent obligent un haut personnage à « prendre un parti » (va-t-on, oui ou non, fermer la poterne que l'adversaire est en train d'envahir à toute allure), il faut voir cette entreprise : on apporte des lumières et des subalternes anxieux l'entourent comme une femme en gésine.

Personne mieux que Hokusai n'a exprimé ce que la race japonaise a de particulier. Quand le Japon vous déroute, regardez Hokusai et regar-

41

dez-le bien ! Par exemple : où les Japonais puisent-ils cette interminable résistance au malheur, cette constance dans des activités ingrates et toujours semblables, le courage de remettre ça et encore de sourire ? Où se trouve ce ressort ? Au cœur d'une espèce d'indifférence millénaire ? d'une certaine opacité, d'un certain pessimisme ? Peut-être, mais il est surtout dans leurs mollets, ces ressorts toujours tendus, plus expressifs que leurs visages.

Beaucoup de ceux qui font ici profession de connaître et d'aimer le Japon le trouvent triste. Quant à moi, la gaieté est une hormone que je ne sécrète pas souvent et qui d'ailleurs ne m'intéresse que médiocrement — ce qui m'intéresse, c'est le bonheur dans l'acceptation et dans l'orgueil. Je trouve le Japon beau et creux, comme certains instruments à percussion pleins de race qu'on voit dans les musées d'ethnographie. Mais moi je connais fort bien ce creux central autour duquel je tourne.

Le Japon est doux aussi : de l'abandon et une lassitude bruyante dans les loisirs, de grosses lanternes qui n'éclairent qu'elles-mêmes, et pas mal de brume et de fumée et de résignation — tant de choses en dérivent. J'aime les moments privilégiés, les petites faces camuses et rongées des bouddhas *o-jizo* plantés tout de guingois dans les cimetières, et à ma façon je suis doux aussi. Et me voilà par un cheminement très naturel du sort en train d'écrire sur le Japon.

Une vie ingrate et des moments privilégiés, voilà le rythme.

À la fin de sa vie, j'ai eu de bonnes relations avec mon père. Je me sens riche en y pensant. Ce que je me rappelle le plus volontiers, c'est son rire lorsqu'il venait s'installer un moment chez nous sous différents prétextes — en vérité pour boire du vin rouge « dans de grands verres », ce qu'il ne s'autorisait pas chez lui. Bien qu'encore très actif, il donnait l'impression de disposer de tout son temps et, à soixante-dix ans, d'avoir la vie devant lui. Celle des autres le faisait rire et c'était un rire absolument débarrassé de prétention et d'amertume, comme venu du milieu d'une mer plate et parfaitement calme. La joie dans le repos.

(Autre image de la joie : le claquement de bec de la cigogne lorsqu'elle construit son nid sous l'averse au-dessus du miroir de la boue.)

Pour transporter Thomas j'ai fait faire une petite chaise fixée par deux courroies d'épaule, comme un *Rucksack*. Transporter ainsi les enfants est une technique immémoriale qui a de plus l'avantage de me laisser les mains libres. L'inconvénient, c'est que les passants se retournent et rient : stupeur de paysans devant la comète — ici pourtant, ils portent tous les enfants dans le dos, mais dans l'autre sens et c'est ce changement qui les foudroie. Ils riraient d'ailleurs de toute façon, sans malveillance excessive, et puis chacun sait bien pourquoi il prête à rire...

Quand j'en ai assez, je le détache, le pose et il joue avec de petits ballons perdus par d'autres et récupérés par lui dans les flaques de boue. Avec des morceaux de ferraille aussi et des fragments d'assiettes cassées. Ensuite nous allons, boueux l'un et l'autre, faire le tour des éventaires qui se dressent ordinairement dans l'enceinte des temples les jours de fête ou de *matsuri**, et manger des beignets faits avec de la farine bouddhique de pieuvre, plus cinq ou six autres ingrédients hauts en couleur et qui, en dépit d'un grand déploiement de talent et de circonstances favorables, n'ont pas de consistance et à peine de goût : des hosties tièdes avec de la sauce brune. Cependant il faut voir l'air régalé et satisfait de ceux qui en mangent — c'est tout de même quelque chose qu'on absorbe !

Le père Chose (Lelong) a tracé toute une série de parallèles ingénieux entre le Japon et la Grèce primitive. Trait commun fondamental : la frugalité, le goût et le respect des choses simples, un sentiment très vif de leur valeur symbolique. Cependant reste cette différence essentielle que la culture grecque primitive débouche sur de la *substance* et du concret, alors que la japonaise est principalement *formelle*, esthétisante et *abstraite* (esthétisme des sentiments, des attitudes, de la présentation des aliments, etc.) comme si le refus bouddhique du monde matériel était ici parvenu à ronger la matière elle-même et à n'en laisser que la chrysalide.

Les Japonais « frugaux, spartiates, voyant chaque bosquet de bambou habité par un dieu, tirant leur subsistance de la mer », etc. Moi je veux bien. En attendant : quoi de plus substantiel qu'un repas de pain, de sel et d'olives noires et quoi de plus abstrait qu'un repas de tofu ? Les Grecs ne sont pas brouillés avec la matière, s'ils la dépouillent, c'est pour en atteindre le cœur et non — comme au Japon — pour le lui enlever. (Dans le zen, il faudrait alors voir un effort frénétique et souvent couronné de succès pour retrouver à un plan plus élevé la présence et le poids de la réalité.) « Le zen, c'est la réalité, la vie de tous les jours, etc. » On trouve cet axiome exprimé avec force redites par plusieurs des grands maîtres de la secte.

Le zen : vaccin bouddhique tiré du tao contre un mal — ou un effet second — né du bouddhisme.

C'est à ce vide que Michaux pense lorsqu'il parle « du côté blanc et plage de l'existence ».

Pour moi, si je me faisais comme dame Sei Shonagon une liste des choses agréables et de celles qui ne le sont pas, c'est le vide et le plein qui me serviraient de critères.

Me donnent un sentiment de plénitude : le son de certains gongs, quelques-uns des bouddhas *o-jizo* qu'on trouve dans les cimetières, le thé vert amer et épais, les paupières et la nuque des femmes désirables, et certaines vieilles balayeuses qui portent des lunettes à monture d'acier sur des groins de professeurs d'université, se foutent des catégories et sont d'une liberté et d'une impertinence rafraîchissantes.

Le 27 avril, ai assisté au fond du Mie-ken à l'inauguration d'une coopérative agricole. De bonnes têtes réjouies et cuites comme de la brique, d'énormes cocardes épinglées sur des vestons noirs trop chauds, et comme toujours en pareille circonstance : beaucoup d'allées et venues affairées et hors de propos. Les discours — six en tout — suivis d'un hymne : tout cela au garde-à-vous. Puis banquet à de grandes tables où chacun recevait son *bento*[*] et son saké dans un emballage d'un goût parfait. D'une table à l'autre, nombreuses visites (des hommes du même village qui ont été séparés par le placement) à quatre pattes en portant sa bouteille, et tu m'en verses et je t'en reverse et bientôt en voilà qui s'endorment la joue contre la table ou les bras en croix sur le tatami. Cette société m'a accueilli avec une gentillesse sans réserve et de plus, ce que ces paysans étaient parvenus à réaliser était d'un intérêt évident. Cependant au bout de deux heures, je trouvais déjà le temps long parce que, d'une certaine manière, il n'y avait personne dans cette salle : une somme considérable de bon vouloir, de correction et de travail, une âme collective répartie dans ces corps noueux et bien frottés. Mais personne.

Ici, bien plus longtemps qu'ailleurs, on peut se promener au grand jour avec une lanterne et chercher un homme. Peut-être parce que les Japonais ont depuis longtemps investi dans le collectif et le social une partie des fonctions, des ressources et des vertus que nous nous attendons à trouver chez l'individu. Ainsi ne trouve-t-on presque pas d'égoïstes au Japon — ceux qui paraissent l'être obéissent le plus souvent à d'autres mobiles.

Pays de sécurité : le peu qu'on laisse à l'individu, on le lui garantit presque. Par ailleurs : pays dur, mené au galop par quelques barons de la finance, ce qui n'empêche pas que des nappes de rêvasserie et de torpeur s'installent constamment au cœur de cette activité frénétique.

Je serai bien content de déménager dans une semaine. Autant la maison et le quartier me conviennent, autant la présence d'une propriétaire folle a quelque chose de paralysant. Qui plus est : d'une folle japonaise, c'est-à-dire blo-

quée psychologiquement par une sorte de rhu-
matisme mental. Elle passe la plupart de son
temps seule dans une chambre dont elle a aveu-
glé les fenêtres et s'installe dans une sorte de
niche qu'elle a ménagée entre les piles de cartons
remplis de vieilles chaussures d'homme qui occupent presque tout l'espace utile. Perversion
sexuelle, refoulement, hystérie ? Et là, au milieu
de ses chaussures, on l'entend rire — un gros
rire qui lui ramone la gorge — ou chantonner
très joliment. Son mari, bonhomme odieux, ne
lui rend visite que de sept en quatorze et elle,
pourtant si propre, conserve dans une cuvette
bien en évidence la dernière eau sale avec laquelle il s'est débarbouillé, sans doute pour
l'accabler silencieusement et lui faire honte de
ses longues absences. Parfois elle empoigne son
ombrelle et sort nous acheter les cadeaux les
plus curieux : pour Éliane un slip fantaisie couleur chair, pour moi... cinquante œufs ! ? ! Elle
nous poche aussi des lettres, les retrouve, nous
les remet en se mordant la lèvre inférieure et en
nous regardant de côté, après quoi tout l'après-
midi, il nous faut l'entendre, confinée dans son
réduit, s'égayer de nos mines effarées.

(La nuit, parfois, je crois que c'est un chien
qui aboie. Mais non ! c'est elle qui rit, toute
seule au milieu de ses collections de chaussures
racornies.)

Hier, curieuse journée. Dans la chambre noire, les objets commencent à m'échapper des mains. Les bandes de négatifs à peine sèches se détendent comme des ressorts et tombent dans la poussière ou dans l'eau sale. Le papier adhère aux enveloppes comme collé par du miel. Les tirages sont d'un gris qui est une insulte pour l'œil, et je m'aperçois qu'un de mes objectifs, défectueux, surimpose des espèces de fesses lumineuses sur des photos que je suis allé faire à grand-peine dans les coulisses d'un temple *shingon** en circonvenant des abbés qui ne sont pas tellement rompus aux échanges culturels. La chambre noire est minuscule : ma colère, mes épaules, mes genoux se heurtent à tout. Je sors pour ne pas fondre en larmes ou détruire mon matériel, je sors pour respirer et me raisonner.

Ciel gris perlé. Les immenses arbres de Yoshida, gonflés de pluie, gesticulent avec nonchalance. Il y a de très beaux arbres à Kyoto, mais ils vous laissent vous débrouiller tout seul. De temps en temps, une bourrasque chaude chasse la poussière vers le nord. Pris un taxi et longé la rivière Kamo en remontant des essaims d'écolières aux lourdes tresses, aux uniformes noirs, toutes pareillement en joues et en mollets. Sur les berges des silhouettes incertaines promenaient des chiens... moi j'étais envahi par un doute : après tout, si ce pays n'existait pas ?

C'est ainsi, ici : on trotte sans cesse, on se force à aller dans des bars éclairés comme des sépulcres pour discuter avec des « spécialistes » de ceci ou de cela, et prendre des notes qui paraissent ensuite avoir été écrites avec du lait tant leur contenu se délite et s'effiloche. On va photographier du théâtre, des masques ; les pellicules sont à peine impressionnées et derrière ces masques on n'est plus bien certain qu'il y ait vraiment eu quelque chose.

Je me suis alors défendu en me disant : c'est le renard (qui passe pour vous jouer ce genre de tours), ou c'est une crise de guignon — maladie japonaise entre toutes. Mais cinq cents mètres plus loin, c'étaient toujours les mêmes blouses blanches, les mêmes visages gonflés, les mêmes grands arbres indifférents. Plus rien pour moi dans cette ville qui s'évapore à toute allure ; moi-même j'ai le sentiment de n'exister qu'à la faveur d'une espèce d'imposture : semble être là, n'y est pas, semblant de parler japonais, d'être écrivain, photographe, et l'impression aussi que rien de ce que j'ai fait ne sortira du virtuel. Ces éclipses sont un des tours que vous joue ce pays qui a la passion du « moins » et où toutes les maîtrises passent d'abord par un stade de vide. « Rien de trop » disait un des fondateurs du nô, et sans doute l'a-t-il dit en deux fois.

Aussi ne faut-il pas s'étonner de ce que tant d'étrangers ici tournent à l'érotomane amateur : quand le sol manque ainsi au pied, on a besoin de rassurant et de palpable ; or bien des femmes ici sont belles, d'une beauté saine et concrète, et subissent beaucoup moins que les hommes cette diminution de l'être. Maternité ? Des ressources plus enfouies et plus secrètes ? Moins de sincérité dans les simagrées sociales ? Il me semble que les enfants évitent aussi cette atrophie et que les adultes ont besoin d'eux pour en guérir.

Le lendemain, c'est le printemps

Mots que j'aime : le mot « ample », le mot « meurtri » aussi. Sans doute parce que je n'ai plus l'âge où l'on se sent — ni ne se souhaite — absolument intact. Les fruits ou les visages meurtris ont plus à offrir que les autres. Vieux, j'espère aimer la vieillesse.

Quand le pays me fatigue ou m'exaspère, je pense à ce poème de Whitman dans lequel le mot « *yes* » apparaît au moins quinze fois (c'est une femme qui se le murmure en se donnant). Pour moi, ce « *yes* » est aux antipodes du « *hai* » japonais, si plein de chaînes et de privations. C'est un de mes antidotes ; j'en ai d'autres.

Premier Japon. J'y trottais éperdument (Tokyo) chaussé de belles godasses en suède rouge de pointure différente — gauche 40, droite 41 — que, pour cette raison, j'avais obtenues pour la moitié du prix dans une boutique de Kowloon. Trottais à toute allure dans ces chaussures si douloureuses que je ne pouvais « tenir en place » et qui me donnaient un air d'activité frénétique auquel je finissais par me laisser prendre.

Photo. Avant d'être un pacte avec la couleur, c'est un pacte avec la lumière. Or nos rapports avec la lumière varient chaque jour : il y a des périodes où l'on est comme une vitre sale qui ne laisse rien passer, d'autres où elle se pose naturellement et sans faire d'histoire sur ce que l'on photographie, où l'on nage et se place d'instinct dans le sens du courant lumineux (état printanier de grâce et de germination). La technique — il en faut — ne saurait suffire à tout et la photo, comme n'importe quel acte, est finalement un acte religieux. Aussi y a-t-il des états de totale indigence spirituelle, des états d'ingratitude — dans le sens d'âge ingrat et dans celui de reconnaissance — où le soleil même vous apparaît comme une assiette sale.

Re-Japon. Une compréhension méthodique, rationnelle : on voudrait bien ! et que de temps gagné ! Mais le pays ne s'y prête pas. Il joue avec nos nerfs, peu faits à sa musique, nous impose son rythme qui est rompu et nous fait passer plusieurs fois par jour de l'aigreur chagrine à la gratitude sans mélange. Nous autres Occidentaux avons été formés, dans l'intelligence progressive des choses, à une méthode qui ne vaut rien ici. Il faut s'assouplir et attendre. Amasser des notes et attendre. Travailler et attendre une éclaircie, ou plutôt une clairière d'où l'on puisse voir la forêt.

Sanctuaire de Kurama

Brûlé, reconstruit, rebrûlé, réédifié pour la seconde fois à l'époque Meiji et ce ne serait pas grand dommage s'il brûlait encore. Comme tant de sanctuaires shinto, avec leurs petits oratoires, pacotille religieuse, marchands d'amulettes ou de sandales de paille, et leurs rajouts successifs de bâtiments annexes, il finit par prendre un air de bazar sauvé seulement par le mariage du rouge braise et du vert jade palpitant qui sont les couleurs du shinto, et par le son d'un gong majestueux que les visiteurs du dimanche frappent avec un bélier de bois suspendu à deux bretelles de corde, et dont la vibration a plusieurs paliers successifs, plusieurs éditions de plus en plus graves dont le nombre correspond à peu près au nombre des horizons de collines qu'on aperçoit de cette montagne.

Le dimanche, ce bazar est plein d'enfants en bérets de marin, d'employés sévèrement endimanchés et d'entraîneuses de bar qui, pour leur jour de congé, s'autorisent enfin à avoir leur âge et dévalent en pantoufles les longs escaliers de granit, le visage ravagé et gai, ici s'arrêtant pour frapper dans leurs paumes devant l'autel d'un *kami*, là pour cueillir une de ces azalées sauvages qui poussent au Japon comme de l'ortie, un peu plus loin pour jeter ce qu'elles ont cueilli, et fument à la chaîne des cigarettes Espoir ou Élixir, pendant qu'un transistor suspendu à leur poignet fait de son côté de la fugue, du cowboy *sing-song* ou de la sonate.

On croise aussi des troupes d'une trentaine de personnes qui suivent, sac au dos, un homme d'allure autoritaire qui les fait tantôt rire, tantôt chanter des refrains. C'est le personnel de la Compagnie électrique d'Ikeda ou le Bureau d'assurances Okubo en excursion dominicale.

Pour mon filtre à moi, il y a là-dedans plus d'étourdissement que de joie. D'abord ce remue-ménage me touche et me divertit, mais au bout d'un moment j'aurais bien envie de tomber malade et qu'on me retire de tout cela pour une semaine au moins.

Les Japonais eux ne se laissent pas déranger par si peu ; lorsqu'ils ont une idée, ils la suivent et cloches, pétards, rassemblements, coups de sifflet, bousculades ne les concernent simplement pas. Ainsi peut-on voir, au cœur de cette cohue, un pèlerin son bâton à la main, qui se dirige vers le bureau du temple pour faire viser son carnet de pèlerinage. Il est tout seul, il n'y a plus que les arbres et lui. Pareillement Lao-tseu traversait des rochers sans s'en apercevoir.

Autour du temple, la montagne est couverte d'amples forêts de haute futaie gorgées de feuilles neuves et de lumière. Tendues de lianes et de glycine sauvage : du Poussin extrême-oriental. C'est plein de petites présences surna-turelles et les troncs les plus majestueux portent une sorte de jupe de paille en hommage aux *kami* qui les habitent. C'est le bon sens même — ces jupes —, car il est évident que cette nature est encore animée (à Delphes, en regardant le fond de la vallée on éprouve un sentiment ana-logue et de même intensité). Malheureusement, il y a ces troupes en chaussures de basket, avec fanions et refrains, qui font obstacle à tout cela. Par places, ces forêts retentissent de puissantes litanies grommelées, d'une espèce de poly-phonie galopante qui semble monter de sous les racines. On cherche en vain le pavillon ou la clairière où ces quarante moines chanteurs ont bien pu se loger, mais on ne voit rien de pareil. Pourtant le chant est fort et continu et part quasiment sous vos semelles. C'est ce vieux monsieur cravaté et sa dame en tailleur de ville, plantés à côté de vous dans la mousse et complètement absorbés, qui adressent des prières chantées à une vénérable souche, avec ces profondes voix de ventre du théâtre nô, et font à eux deux tout ce ramage.

Parfois un seul gros criquet parvient à jeter ainsi dans un carré d'avoine une rumeur énorme.

Mai (suite)

Dans le tram n° 6 une dame d'âge moyen, avec aux mains des gants de fil trop grands de trois pointures au moins dont les extrémités vides étaient soigneusement tenues repliées sous les doigts. Je suis souvent frappé par le souci de correction presque pathétique qu'on trouve ici chez les gens modestes.

Japon : pays de toutes les nuances du bois, de la mousse, du thé amer et de ces grosses flûtes de bambou dans lesquelles on engouffre l'air par litres pour obtenir cette note basse et tremblante d'une mélancolie qui en dit long sur le pays.

Dans ce temple du « nuage auspicieux », je rêve chaque nuit et, pour la première fois depuis des années, ces rêves semblent avoir un sens, bien que celui-ci m'échappe encore.

Tout plein d'animaux : la nuit dernière, dans un long corridor de bois patiné, deux mignonnes belettes noires qui jouaient avec des abeilles mortes et ont abandonné leur jeu pour sauter sur mes épaules. Folâtrant autour de ma tête, elles m'ont accompagné un bon bout de chemin. Je descendais à travers un paysage de neige en direction d'une église dont les cloches sonnaient. En cours de route, elles m'ont quitté sur la place d'un village de pierre pour aller jouer avec un chat. Je me sentais très heureux et comme « blasonné » par la présence de ces deux petites âmes à fourrure brillante.

Fréquents rêves de serpent aussi. Jamais plusieurs à la fois, jamais de nœuds ni de grouillement, mais un seul animal de grande taille, majestueux et grave, pour lequel je n'éprouve pas de répulsion particulière, mais qu'il me faut combattre en essayant toutefois de ne pas le tuer. Quand j'ai le dessus, la journée qui suit s'en trouve éclairée. Cette nuit c'était un superbe serpent noir et brique, posé sur un rocher dans une forêt d'avant-printemps. Encore à moitié engourdi. Nous nous sommes longuement considérés et j'ai compris qu'il me faudrait revenir et le tuer. J'ai compris aussi qu'au même instant, il prenait les mêmes décisions à mon égard. En onirologie, les rêves de serpent peuvent parfois avoir un contenu sexuel ; je suis convaincu que ce n'est pas le cas ici.

Les gens d'ici, pleins de bon vouloir à beaucoup d'égards, ne montrent aucun entrain à comprendre le japonais — pourtant bien compréhensible dans sa pauvreté — qu'on leur adresse. Convaincus qu'« un étranger qui parle japonais, cela n'existe pas » ils n'ouvrent simplement pas leurs oreilles. Et puis Kyoto, c'est conservateur comme Florence et dans ce genre de villes là, il s'agit bien plus de savoir que de comprendre. D'autre part et quoi qu'ils en aient, et malgré le tourisme, l'étranger reste pour la plupart des Japonais un animal radicalement différent. Hier, j'ai conduit Éliane pour un examen médical à l'hôpital Kyodai, grand établissement où opèrent plusieurs chirurgiens illustres. Là, un médecin qui n'était plus un blanc-bec, après avoir pris sa tension artérielle, m'a dit mot pour mot : « Je ne sais rien de la tension artérielle des étrangers, mais pour un Japonais, 110 serait assez satisfaisant. »

Il faut vraiment avancer dans la connaissance du Japon pour en saisir toute l'étrangeté. C'est un pays qui a peu en commun avec les autres régions d'Extrême-Asie. Si l'homme est vraiment un animal social, alors il ne l'aura nulle part été autant que dans cette culture. Comme je l'ai déjà dit, quantité d'options, d'initiatives, de réactions et de ressources qui, chez nous, seraient l'apanage de l'individu, relèvent ici du corps social ou d'une de ses innombrables sous-sections. Il s'opère ainsi un déplacement des mécanismes moteurs et des responsabilités qui, pour un observateur étranger, complique énormément l'interprétation d'une situation donnée. Dans bien des cas, l'individu s'abstient de se prononcer ou de prendre un parti et laisse ce soin à sa compagnie, sa famille, le club auquel il appartient, etc. Pour savoir véritablement où l'on en est, il faut attendre que ces instances plus ou moins occultes aient rendu leur arrêt.

On peut donc bien parler d'une « âme collective », un peu dans le sens où Teilhard de Chardin l'entendait lorsqu'il envisageait le passage de la conscience personnelle à la conscience plurale. C'est ce qui donne tant d'attrait et de vigueur aux *matsuri*, fêtes où tout le monde est véritablement fondu dans la même attente et le même sentiment et où vous chercheriez vainement une personne qui ne soit « pas dans le coup ». Lorsque les journaux écrivent : « Le Japon est unanime à déplorer l'attentat indigne contre l'ambassadeur Reischauer », c'est aussi proche de la vérité qu'une assertion de ce genre peut l'être et vous auriez grand-peine à trouver quelqu'un qui ne trouve pas l'attentat en question déplorable ou au moins embarrassant. Mais lorsqu'on écrit : « La France entière souhaite… » il va de soi que la moitié de la population s'en soucie comme de colin-tampon tandis qu'une quantité de personnages à bérets « désapprouvent » ou « se désolidarisent formellement » derrière leur anisette.

Ce qui est laissé à la personne, c'est un grand fonds de mélancolie, une curiosité sans limite, l'amour des enfants et un pouvoir de sympathie étonnant dans ce contexte, qui pourra s'exercer vis-à-vis de l'étranger pourvu que certaines garanties soient fournies (tout va se passer correctement, une situation clairement établie, pas de surprise, etc.).

Ce matin, un peu de poudre d'or sur la table du petit déjeuner. Éliane s'est remise à peindre. Une aquarelle encore humide sèche sur le bras du canapé : une façade d'un blanc éclatant — c'est le vieux pavillon de *daimyo*[*] qui nous fait face — entre des arbres verts gonflés de pluie, et derrière, la longue cheminée noire du *sento*[*] qui vomit une fumée épaisse. Entre Beauchamp et Utrillo, avec l'alcool en moins. Cela n'a absolument rien de japonais et pourtant c'est exactement ce que l'on voit de la fenêtre, panorama japonais s'il en fut.

Bruit pour s'étourdir, klaxons pour s'étourdir, musiques continuelles et de toutes sortes, et pétards si possible : tout cela ne suffit pas à faire briller les regards. Caféine, dopants, « groupes d'études » où de grands sérieux à lunettes décortiquent Thelonious Monk et Sade mais il en faudrait plus pour faire briller les regards. Il est bien vrai qu'il y a de la névrose dans le Japon des villes et Michaux n'a pas tort lorsqu'il parle de ce pays « bien fait pour notre époque et son mal... ». Il faut aller à la campagne pour voir des yeux débarrassés de cette espèce de taie.

Ce n'est jamais la vie qui décline, mais seulement l'idée qu'on parvient à s'en faire.

Onze heures sonnent. Je réalise mon bonheur et ma chance, chance d'exister. Thomas attrape des papillons dans ce petit jardin touffu. Je puis reporter sur lui, presque telle quelle, l'affection que j'avais pour mon père disparu.

Shinju an

Si, comme on se plaît à le constater, la fameuse « Honorable partie de campagne » n'a pas vieilli, c'est que, dans ses aspects les plus anachroniques, le Japon n'a pas tellement changé. La conception du temps, par exemple. Telle chose est prévue pour tel jour et toutes vos dispositions sont prises (aller, par exemple, voir un tableau chez un collectionneur) mais ce jour-là, précisément, cette chose ne se fera pas, tant on aura perdu de temps à se saluer, se complimenter, s'excuser du dérangement, se creuser la tête pour savoir comment faire pour ne pas blesser l'autre, éviter des impairs de toutes sortes et surtout « créer l'ambiance » en s'abstenant évidemment de rappeler l'objet de votre visite. Lorsque toutes ces conditions sont remplies, l'ambiance est là mais la nuit aussi et il n'est plus question de voir l'objet qui vous intéresse. Il faut prendre date et revenir, la seconde fois sera la bonne. Les Japonais devraient parfois se rappeler que la véritable politesse c'est aussi de se souvenir que la vie des autres est, hélas, aussi brève que la nôtre.

C'est une visite faite hier au beau temple de Shinju an qui m'inspire ces réflexions.

Temple des plus exclusifs et fermés, mais avec un peu d'argent donné dans les formes on peut l'ouvrir tout de même. Plus une bonne introduction. La nôtre est excellente, d'une Occidentale qui a vécu cinq mois dans ce temple, connaît bien l'abbé, et a vidé nombre de bouteilles de bière avec la tante de l'abbé, cerbère et esprit domestique du lieu.

Dès la porte d'entrée, notre guide s'excuse d'arriver « ainsi » — cependant on arrive ou on n'arrive pas —, et c'est une nièce de ladite tante — elle dort encore —, qui reçoit ces excuses, dûment prosternée le front sur les mains étendues, mais il y a un « je ne sais quoi » de boudeur dans ses courbettes qui nous informe que nous tombons mal et même, nous en fait grief.

On nous prie de regarder le temple en l'attendant. On revient nous prier de ne pas pénétrer dans les salles qui ne contiennent d'ailleurs rien, sinon quelques beaux *fusuma**. Arrive la vieille, l'air sarcastique et lointain, nous donne quelques explications à la sauvette — époque Muromachi, époque Momoyama — et nous fait surtout comprendre que nous aurions dû téléphoner, qu'il n'est pas séant d'amener ainsi des *gaijin** sans prévenir, que nous bouleversons son emploi du temps (tu parles : en japonais, il y a toujours moyen d'attacher une impertinence à une petitesse) et qu'en conséquence elle ne peut nous recevoir aussi dignement qu'elle le voudrait. Je comprends à peu près tout ce qu'elle raconte et trouve cette comédie si intolérable que j'ai envie de filer, mais notre guide, qui semble savoir exactement ce qui se passe, noie toutes les objections sous des flots d'excuses — « *warui koto o shimashta… o djamma datta to omoimas* » — et de révérences profondes et qui lui coûtent, car c'est une femme corpulente et qui transpire beaucoup, et nous adresse des clins d'œil complices, l'air de dire « je connais ce numéro-là, la vieille coquine me l'a fait plus d'une fois ». Il s'agit simplement de poursuivre la comédie, chacun s'en tenant à son rôle : pour elle, une litanie d'excuses ininterrompue, pour Éliane un silence gracieux et « comme il faut », pour moi quelques commentaires flatteurs sur son temple, proférés dans un ton plus rude. Irmgard se charge de la mise en scène et par des clins d'œil imperceptibles me pousse ou me retient. Maintenant la vieille fond comme neige au printemps et commence à nous raconter son enfance dans le temple — elle y a toujours vécu — avec de petits rires fous. Nous montre la fontaine à laquelle dame Murasaki qui a vécu ici allait tirer son eau. Nous en tire un seau et nous la fait goûter. Va nous préparer du thé vert. Le moment me paraît venu de parler photos — j'ai besoin de quelques photos de ce temple. Le mot « photo » déclenche un nouvel écran de fumée, fait surgir de nouveaux murs à escalader, une nouvelle citadelle à prendre. Il faut biaiser, circonvenir, saper, miner, ramener la question pendant une bonne demi-heure avant de s'entendre dire : « Je vais demander à Oshio-*san*[1] » (elle ne lui demandera rien du tout, nous dit notre guide qui la connaît bien). Et encore : « Téléphonez le 16 au matin pour avoir la réponse. » Prendre date, c'est le plus qu'elle peut faire. Elle aurait pu dire aussi : « Venez demain matin de bonne heure et faites

1. Monsieur Oshio. (*N.d.E.*)

toutes les photos que vous voulez », puisque de toute façon c'est ce qui finira par arriver. Mais non. Prenez les choses les plus simples et compliquez-les à l'extrême. Comme ça au moins, vous serez certain de ne pas être pris pour un paysan.

Cette politesse, et tous ces salamalecs qui sont comme des sacs qu'on entasse devant la porte en vous laissant dehors, tout ça n'est pas pour moi. Mais alors, me direz-vous, l'étranger et le Japonais ne se rencontrent-ils jamais ? Cela arrive, mais c'est rare : il faut l'ambiance (*kimochi*), des assurances, des *go-between*, des cornacs et des circonstances aussi exceptionnelles que celles qu'il faut réunir pour que les éléphants se reproduisent dans les zoos.

Littérature

Le surréalisme européen était très riche : il rendait du magique à qui n'en avait plus. Du magique et de l'amour. Voir avec quelle révérence souveraine les surréalistes ont parlé de l'amour — et pas du tout en romantiques pleurnichards. *L'Amour fou* de Breton. Et Desnos :

> *J'ai rêvé tellement fort de toi*
> *J'ai tellement marché, tellement parlé*
> *Tellement aimé ton ombre.*

Dans Desnos, encore, une tomate devient « merveilleuse ». L'Europe avait bien besoin de tout cela. Tout le monde en avait besoin. Mais au Japon, où la magie est encore largement distribuée dans les choses, le surréalisme n'a pu séduire et s'installer que par son odieux côté « école littéraire », Breton « pape » ou encore « boss » du surréalisme, côté mineur et insignifiant s'il en fut, mais qu'on prend au sérieux au pays des *sensei** et pas mal de demoiselles à lunettes, qui n'aiment que la lune, la mélancolie et, par-dessus tout, l'érudition, font des thèses là-dessus.

Ryoan ji

Symbole de la bonne forme : le magnétisme. Être conducteur, être traversé, être branché sur les grands circuits souterrains. Baigner dans ce que l'on fait. Comme disaient les vieux taoïstes et ensuite le zen : « Qu'il n'y ait pas l'épaisseur d'un cheveu entre l'acte et vous-même. » Voilà ce que j'aime dans le zen : ce message précisément. Il a été mal interprété ici ; il en traîne des traces dans la violence des jeunes ; le beatnik japonais est un être dangereux : la violence sans l'imagination. Ce sont alors les films de gangsters et les bandes dessinées qui se chargent d'imaginer pour lui, on devine ce que cela donne. Jusqu'au jour où, étant entré dans une de ces grandes sociétés plus puissantes et plus dures que les gangs les plus résolus, il devient le subalterne le plus docile qu'on puisse imaginer.

Les années de lycée, de fin d'apprentissage sont une variante de la promenade des fauves, avant les barreaux.

Ici, l'œil travaille dur et sans arrêt. Il ne reste plus rien pour la cervelle. Tout ce qui relève du domaine graphique, les Japonais pourront le faire à merveille, sans y penser, presque en dormant. Mais ils ne pourront vous l'expliquer.

Il entre du surréalisme dans l'état de voyage. Le voyageur se doit d'être un voyant. « Donner à voir » c'est un surréaliste, Desnos ou peut-être Man Ray, qui a dit cela. C'est ce qu'on attend du voyageur ; les gens mêmes qu'il visite exigent qu'il voie mieux qu'eux. Combien de fois ai-je fait « voir » leur propre ville à des gens qui me la « montraient » (encore pour cela faut-il être en état de veille). Lorsque les Japonais vous montrent le Japon, on s'embarque le dimanche avec des Thermos dans un coupé Datsun et on prend la file sur l'autoroute. « Morinaga chocolate », « Bridgestone (Ishibashi) tyres », la police routière, des familles qui mangent des sushis dans la poussière au bord de la chaussée. Voici le parc à voitures et voici le temple, et voici la dalle où Yoshitsune apprit l'escrime avec un *tengu*[*]. Et cette dalle n'est pas très grande et vous êtes cinquante dessus. Alors que vous reste-t-il, qui ressemble à de la vie, sinon les cuisses des fillettes, les seins des femmes, et de traiter tout cela par l'irrespect ? C'est là que votre travail à vous commence : regarder et « voir » ce qu'on ne vous montre pas. Vous faire plus lourd que ce dimanche, plus vivant que cette vie et vous remorquer vous-même en avant de cette foule qui attend quoi ?

> *mais soi-même on n'est pas toujours dans*
> *sa vie, parlant haut*
> *s'y gonflant et tenant fort la place*
> *non sans peine on est mis au monde*
> *mais le plus dur c'est d'y rester*
> *on vient à la vie*
> *aussi*
> *on en revient*
> *on y retourne et on en redemande*
> *mais je ne connais ni séjour ni spectacle*
> *qui puisse la fournir à qui elle manque*
> *ni lieu au monde qui en tienne la recette*
> *ni drogue au monde qui tienne lieu*
> *et pas une conjuration d'amuseurs — si*
> *formidable soit-elle — qui puisse faire*
> *sourire un homme vraiment morose*

songez aux visages qu'on rencontre dans
les prétendus « lieux de plaisances »
ouvrez donc l'œil
moquez-vous et prosternez-vous
le respect et l'irrespect par tonnes
bons moteurs et qui se valent
ainsi seul le meilleur passe.

Juin

Il fait bon : 33-36 degrés dans les maisons. Nu, on a encore l'impression d'être en pelisse. Les films de fantômes (*obake no eiga*) commencent à passer dans le sud de la ville et les pauvres vont s'y donner le frisson.

Les fantômes japonais n'ont pas leur pareil, je vous l'assure. Déjà ils se répandent, nombreux, dans la vie enfantine : on en vend des images aux gamins — à colorier, à découper, à plier, à suspendre en silhouette à la fenêtre — et sur le bord du trottoir d'été ils s'amusent gravement avec ces profils de cauchemar, ces mèches sanglantes, ces manières plaintives.

Les premiers jours de grande chaleur, les étudiants pauvres écrivent des lettres ouvertes aux grands journaux : « Certes, les vacances dans les Alpes ne sont pas pour nous, mais vivement qu'on passe les films de fantômes ! » Tous ceux qui ne peuvent s'offrir la fraîcheur en montagne vont, pour cent cinquante yens, se glacer le sang dans les cinémas de quartier.

Pour l'insolite, pour la vérité dans l'étrange, tout ce bazar fantomatique est sans égal : lanternes en forme de visages à demi rongés d'où s'échappent en rubans des paroles de vengeance et de rogne, mélancolie intolérable de suicidés qui ressassent leurs griefs (une bonne, accusée à tort d'avoir cassé de la vaisselle de prix, recompte interminablement des assiettes du fond du puits où elle s'est jetée). Et d'autres, absolument invisibles, font craquer les marches de bois sous un poids qu'on n'ose imaginer, dérobent l'huile des lampes — et c'est une petite flaque qui s'en va en flottant dans la nuit.

Au Japon, toute âme morte de mort violente, injustement, ou la rage au cœur reçoit sa forme de fantôme. Vu la rigueur de l'étiquette, beaucoup de choses ne peuvent se régler qu'outre-tombe. Pas mal de Japonais emportent avec leur dernier soupir un « chien de leur chienne » et les représailles commencent de bonne heure. On connaît ainsi plusieurs cas de bourreaux mortellement mordus au vol par la tête qu'ils venaient de détacher.

Folklore, folklore me direz-vous, donnez-nous du social. Mais ces films passent, ces images sont vendues avec les savonnettes de l'épicier, et si vous ne comprenez pas ici ce qui est étrange comment comprendrez-vous jamais ce qui est simple, si simple en apparence ?

Le problème de l'étranger au Japon est un problème d'ajustement et de catégories (les Japonais aiment d'ailleurs le mot *goodwill* et l'emploient à tout propos). On trouve ici, par tonnes, un « bon vouloir » profond et désintéressé, dont on ne sait quel usage faire. On ne sait sur quoi cela débouche. Bien rarement, sur la chose que, précisément, on leur demande. C'est que, dans leur domaine particulier, ils sont en butte à tant de limitations et de chicanes : jamais un directeur de musée, quoi qu'il en ait, ne pourra vous faire ouvrir une salle fermée, mais il sera certainement disposé à user de son influence pour vous obtenir un billet circulaire du Kinki Nippon Railway à demi-tarif. Par contre une geisha haut placée pourra vous ouvrir le musée, et le chef de gare vous introduire dans une maison de geisha, etc. La marge de manœuvre s'obtient davantage par *relations* que par *position*. Vous, vous ne savez jamais où vous êtes. Pour relever votre position, « faire votre point » et savoir où vous vous trouvez dans le ciel social japonais, il y a plusieurs lectures de la carte stellaire et la lecture officielle n'est pas toujours la bonne. Par exemple, une introduction du gouvernement ne vous servira à rien auprès de l'abbé d'un temple bouddhique, si ce temple ne doit

rien au gouvernement. Vous serez poliment
« reçu-éconduit » (il y a ainsi des quantités de
mots-couples antithétiques qui rendent exactement les nuances du comportement japonais.
On pourrait s'amuser avec ça). Mais pour en
revenir à la bonne volonté, elle est là : à vous
d'imaginer l'emploi que vous pourriez en faire.
Le Japonais, à moins de prendre de grands ris-
ques, ne pourra pas l'imaginer pour vous, bloqué
qu'il est par des catégories et des obligations
dont nous ne soupçonnons ni la complication
ni l'interdépendance.

Le voyageur qui approche un pays étranger
doit obéir à certains impératifs mentaux. Tout
d'abord, il lui faut systématiquement chercher les
qualités ou, comme dirait dame Sei Shonagon,
la « chose agréable », et s'y accrocher comme une
tique. Quant aux défauts, on les trouve, pas besoin de les chercher. La vie est courte aussi et
ce n'est pas la peine d'en consacrer la moitié à
des irritations superflues. Ensuite, comme dit
Michaux : « Tout ce qui ne contribue pas à mon
édification : zéro. » En troisième lieu, parce
qu'il y a moins de variété et d'invention dans
les défauts que dans les qualités (je me rends
bien compte qu'il s'agit là d'un postulat, mais
j'y crois absolument). L'invention dans le bien
dispose d'un éventail beaucoup plus large que
l'invention dans le mal — voir l'insupportable

monotonie de Sade (son côté prévisible), *l'Histoire d'O* qui ne parvient pas à rebondir, le côté scolaire et pion des grands malfaiteurs, sacrilèges, Gilles de Rais, etc., gens si laborieux dans leurs vilenies. Lorsqu'on a violé une femme — nonne ou vestale de préférence — de toutes les façons possibles, ou célébré par dérision une messe sur l'étal d'un boucher devant des abattis de porc, que peut-on bien faire de plus ? On peut toujours encore brûler un feu rouge.

(Le Diable qui se situe à plusieurs degrés de maîtrise au-dessus de ces tâcherons est beaucoup plus subtil, on en reparlera, mais tout de même !)

Jetez par contre un coup d'œil aux « questions et réponses » de mystiques iraniens comme Attar le Parfumeur ou Djalāl al-Dīn Rūmī — qui était turc —, on est partagé entre la surprise émerveillée et un sentiment de connivence profonde ; cela touche au centre de vous-même le mille d'une cible dont on ignorait l'existence. C'est mieux que ce qu'on attendait et c'est aussi, d'une autre manière, exactement ce qu'on attendait. Prenez encore ces apologues et ces anecdotes qui fourmillent dans la patristique, dans l'histoire de la Thébaïde, dans celle des mystiques grecs des premiers siècles avant le schisme : on les touche et cela résonne interminablement.

Les qualités d'un pays, ce sont ses œuvres et elles ont quelque chose d'unique. Les défauts sont, par rapport à ces œuvres, ce que la vie quotidienne d'un écrivain peut être à ses meilleurs textes. De plus ces défauts sont communs. Victor Hugo couchait avec ses domestiques et notait sur un calepin le nombre de fois qu'il les avait couvertes. Des milliers de voyageurs de commerce en font autant. Vigny était, dit-on, indicateur de police. Dieu sait que ce n'était pas le seul, et ce n'est pas par là qu'il nous intéresse. Les Japonais sont lents d'esprit — ou carrément « stupides » comme le prétendent les étrangers exaspérés dans la colonne « Lettres à l'éditeur ». Mais la lenteur d'esprit, et même l'absence d'esprit sont les choses le plus équitablement réparties sur cette terre et les Japonais n'ont hélas pas le monopole de cette carence.

Suicides : on ne peut comprendre la facilité avec laquelle les Japonais renoncent à la vie si l'on ne sait à quel point cette vie peut être épineuse, contrainte, sans issue ni espoir de changement. Ce proverbe cité par Koestler : « En vérité, l'étiquette est plus lourde qu'une montagne, tandis que la mort est plus légère qu'une plume. » Ajoutons que dans la hiérarchie des valeurs, la vie vient bien après l'étiquette. Et pour autant qu'on soit un peu sophistiqué, on ne l'aime pas tellement non plus, la vie. Il n'y a pas tellement là matière à réjouissances ni à étonnement.

Une histoire qui doit bien les faire rire, c'est celle de Vatel. Se suicider parce qu'on rate son gratin de dorades. Dame ! C'est vraiment la moindre des choses. Ils doivent se dire qu'en France, on devenait célèbre à bon compte. Mais au Japon, c'est s'il ne s'était *pas* tué qu'il aurait fait parler de lui.

Cela prouve vraiment que ce qui est « juste d'un côté de la Bidassoa ne l'est pas de l'autre ». Quantité d'histoires nous paraissent énormes ! On se dit : « Ah, ces Japonais ! » Étudiez le système, elles sont implacablement logiques. On évolue ici dans un milieu où les réactions prescrites l'ont toujours emporté sur les réactions spontanées. Ici, c'est le social qui dicte. Le zen, qui s'est efforcé de prendre le contre-pied de cette attitude, fait par exemple grand cas d'un maître chinois qui — innovation formidable — s'avisa de crier parce qu'il avait mal. Cela en dit suffisamment long.

Ainsi, il existe une presse quotidienne en langue anglaise au Japon, dont la page « faits divers » est remplie d'histoires singulières et qui font réfléchir : une « amicale » de bandits, tueurs, maquereaux, etc., loue un des plus grands locaux de la ville pour l'élection de ses nouveaux caïds au vu et au su de la police qui se contente de coffrer les administrateurs de la société qui a loué le local… Le fantôme d'une vieille femme arrête deux jours de suite les trains sur la ligne de Tsu... Une femme d'ouvrier perd l'argent des courses, rentre chez elle et se tue avec ses enfants, etc. L'anglais des rédacteurs est bon, on croit comprendre mais, si vous n'avez pas la clé des motifs, c'est comme si vous n'aviez rien lu.

Peut-on en déduire que le fonds psychologique, les réflexes émotifs spontanés, l'inconscient collectif tel que Jung le conçoit sont différents au Japon de ce qu'ils sont ailleurs ? Je ne crois pas. Que l'individu japonais est fondamentalement différent de son frère mexicain ou européen ? Je ne crois pas non plus. La différence n'est pas tellement dans les fondements du caractère personnel, mais dans l'abdication de ce caractère au profit de formes sociales rigoureuses et déformantes, dans l'aliénation du « soi » en faveur du « on ». Même dans les décisions d'hommes politiques importants, on observe souvent une hésitation, un temps d'arrêt qui leur permet de s'assurer que c'est bien cela qu'on attendait d'eux. L'ambassadeur des États-Unis reçoit un coup de poignard : le ministre de l'Intérieur doit-il démissionner ? Il soulève la question, voit où elle retombe et si ça fait des ronds, et finalement retire sa démission.

Réflexions sur le livre
de Ruth Benedict

Le modernisme et la compétence technique ne doivent pas égarer le voyageur : étudier le Japon, c'est faire de l'ethnographie comme en faisaient Cook ou Bougainville. Le meilleur livre écrit sur le Japon depuis quarante ans est le fait d'une ethnographe qui n'y avait jamais mis les pieds et qui s'est attaquée à cet archipel avec la même circonspection et les mêmes scrupules qu'à l'étude d'une planète inconnue, et c'est elle qui a le mieux compris.

L'âme au sens que nous lui donnons. L'âme-ombilic, modalité suprême de l'être, noyau central, au Japon se situe dans le collectif. Toutes les plus hautes vertus sont situées dans le social — dévouement à la famille, au clan, au pays — et les perturbations et événements essentiels sont tous dépendants d'un système de référence sociale. C'est pour cela sans doute qu'un Japonais a tant de peine à sentir — plutôt, à savoir ce qu'il sent — en dehors de son contexte habituel.

Peut-être faut-il chercher dans ce collectivisme la raison de la difficulté extrême que les Japonais ont à s'adapter : ayant perfectionné au plus haut point un système de rapports qui réunissait l'agrément de tous — même des plus prétérités[1] —, ayant investi tout leur talent dans ce chef-d'œuvre qu'était leur machine sociale, et toute leur énergie à en assumer la bonne marche, le moindre changement en profondeur suscite des crises et pose des questions, auxquelles on n'est pas préparé à répondre.

Femmes : du fait de leur situation, certains aspects de leur personnalité sont encore en friche (cela n'étant pas vrai pour l'époque Heian) et on peut considérer que leur introduction à la vie nationale libère un capital qui n'est pas encore exploité à cent pour cent. D'autre part, dans la maigre part qui leur était faite, dans les limites étroites qui leur étaient imposées, elles ont aiguisé au maximum les facultés dont on leur laissait usage comme celles qu'elles pouvaient développer à l'insu de leurs adjudants de maris : l'astuce, la rapidité d'esprit, l'ingéniosité, le sang-froid (femmes d'affaires incomparables), même un certain humour.

Ruth Benedict ne semble pas penser du tout que le peuple japonais ait été « dupé » par les militaristes, mais qu'il a bel et bien exprimé par la guerre une de ses modalités profondes. Seulement voilà, ça n'a pas réussi. Alors à présent, on « fait la paix » comme autrefois la guerre. Et

---

1. Du verbe régionaliste (Suisse) signifiant léser. (*N.d.E.*)

il est bien certain que l'exercice de la paix auquel le Japon se livre depuis 1945 lui aura apporté plus de satisfaction et de bonheur que la préparation et la conduite de la guerre. Mais le bonheur est une notion dont les Japonais se méfient et dont, au fond, ils ne font pas grand cas.

Comme les Bengalis de Michaux, les Japonais aiment les situations qui « présentent de la densité » et les recherchent comme ils recherchent des excitants de toutes sortes. Il n'y a qu'à voir leurs films : un conflit cornélien doublé d'une évasion impossible et panaché par un secret qui expliquerait tout mais qu'on ne peut trahir sous aucun prétexte, etc. Cependant lorsque ces situations présentent de la nouveauté et demandent un peu d'initiative, seuls quelques braves s'y aventurent.

À cause de tout cela, ils avaient le plus grand besoin de contacts avec un monde étranger à ces préoccupations-là et l'on peut dire que leur expérience forcée du monde extérieur — de Perry à l'occupation américaine — leur a plutôt été bénéfique et c'est donc sans méfiance qu'ils devraient aborder l'étranger. Ils s'en méfient cependant, ou alors se méfient d'eux-mêmes et bien malin qui pourra dire, lorsqu'il les rencontre, de laquelle de ces méfiances il s'agit.

Au Japon, l'adulte est perpétuellement en punition. Sa vie doit être *kurashii* (pénible) et on veille à ce qu'elle le soit. L'enfant, non. « L'enfant ne connaît pas la honte », disent les Japonais avec envie. En dépit de l'absence d'eschatologie dans leur sentiment religieux, il y a dans l'adoration de l'enfance quelque chose qui rappelle le « Paradis perdu ».

De façon générale : livre exceptionnel et mettant le doigt sur des mécanismes si fondamentaux, sur des raisons si éclairantes qu'il en devient une sorte d'aimant autour duquel des écrivains moins formés à la méthode anthropologique ou moins informés du Japon gravitent comme de la limaille. Dans l'excellent Koestler, on retrouve Ruth Benedict à chaque page et l'on ne saurait lui en faire grief parce que s'en éloigner serait dans une certaine mesure s'éloigner du Japon.

Juillet

Quand je l'ai quitté en 1956, le Japon avait un héros : Rikidosan (la montagne-du-chemin-de-la-force), un champion de catch aux yeux mobiles dans un visage de couenne, coréen par sa mère, ce qui dans l'esprit des Japonais ajoutait à l'auréole du vainqueur l'auréole si profitable du méchant. Il gagnait toujours et force était de reconnaître qu'il était le plus fort et surtout le plus avisé, puisque les combats — comme partout — étaient arrangés d'avance.

Dans les années qui suivirent, Rikidosan, après avoir fait une fortune dans la publicité — toniques, chemises d'homme, aphrodisiaques, etc. — devint une puissance de cet entre-monde où les Coréens tirent tant de ficelles : patron de boîtes de nuit, de *pachinko*[*], de clandés, d'une compagnie de transport (ça peut servir à des tas de choses, les camions) et ami des politiciens (ça vote, toute cette racaille, et surtout ça fait voter les autres comme on leur a dit). Voici deux ans, un galopin d'une bande rivale, probablement pris d'un excès de zèle, lui a suriné le ventre dans les toilettes d'une boîte de nuit, coup mortel et bien porté, et mort bien digne de cette crapule. Funérailles quasi nationales ; deux ministres en exercice, Ohno et Kono, suivaient le corbillard d'un air inconsolable. Fanfares, discours. À se demander pourquoi on n'avait pas dérangé l'empereur. C'est que le pouvoir de l'empereur — qui est nul — est (en vertu d'un principe immémorial dans la politique japonaise) en raison inverse de son prestige, qui est grand. Belle tartuferie que tout cela ! La politique est bien la même partout. Mais l'organisation de ces grandes sociétés paralégales, pyramide qui va de l'homme d'affaires respectable à l'équipe de tueurs, est tout à fait particulière au Japon. Il y a ici une portion importante de la population (paysans déracinés, *eta*[*], petites gens qui ont depuis toujours l'habitude d'être écrasés) qui ne connaît pas ses nouveaux droits, ou n'y croit pas assez pour les réclamer, et qui est sans défense contre l'exploitation de ces gangs qui — par exemple — recrutent la main-d'œuvre, l'enferment dans des camps barbelés et prélèvent la moitié du salaire. Ce genre d'abus existe d'ailleurs dans toutes les sociétés où l'on n'a pas encore pris l'habitude de la protection gratuite (payée par les impôts). D'autre part, la police, réduite à la portion congrue par la nouvelle Constitution à cause de ses odieux abus pendant la période militariste, est mal armée juridiquement pour intervenir avec succès contre ces organisations qui bénéficient en outre de hautes protections politiques à cause de l'énorme contingent électoral qu'elles sont en mesure d'influencer et d'intimider. L'extrême droite, qui prépare un retour spectaculaire, s'est déjà abouchée avec ces organisations-là.

Pour toutes ces raisons, la protection monnayée d'un *gumi*[*] (racket) est souvent plus efficace et préférée à celle de la police. L'an dernier, un jubilé important du temple Nishi Hongan ji attira vers Kyoto des milliers de campagnards naïfs pour lesquels on établit des campements provisoires. Le chapitre du temple, bien conscient que ces fidèles rustiques allaient offrir une proie facile aux aigrefins et gangsters locaux, prit contact avec la préfecture pour assurer leur protection. La préfecture s'étant déclarée impuissante, il s'entendit avec les deux gangs locaux qui, contre une part importante des bénéfices escomptés, veillèrent à ce que pas un coup ne fût tiré au-dessus du tarif et que pas une sucette ne fût vendue au-dessus du prix.

Avant les Olympiades, le pays tâche de faire toilette et la police en met un coup. Opérations spectaculaires couronnées par des résultats insignifiants que les journaux étalent avec candeur. Le fort de la police c'est de *savoir* le nombre de voyous en liberté (à un près), le nom des chefs de bande, l'adresse des quartiers généraux, le jour des réunions plénières, etc. Quant à réduire le nombre de ces criminels, c'est une autre paire de manches.

L'esprit trotte

Que la vie soit dure au Japon, la moitié des Japonais vous le cache, l'autre s'en vante. Mais elle est d'une sécurité sans pareille pour qui observe les règles et accepte les limitations. L'aventurier, ce personnage classique du répertoire occidental, n'a ici ni lustre ni consistance. Il est aussi peu fréquent que peu recommandé. En Europe, on n'en recommande évidemment pas non plus la fréquentation aux braves gens timorés, mais enfin, ce personnage existe dans l'imagination populaire : Fantômas, Arsène

Lupin, Vautrin, Monte-Cristo. Ces gens-là n'ont pas d'équivalents japonais. Au Japon, ceux qui font métier de braver l'ordre établi — fût-ce l'ordre du « milieu » — n'éveillent aucun intérêt et ne méritent aucune auréole. Individus peu souhaitables, un point c'est tout.

Vous allez me dire : mais les quarante-sept rônins, mais tous les soldats de fortune avec leurs deux sabres et leurs chignons ! C'est vrai qu'il y a eu sur les routes de l'ancien Japon des pourfendeurs de toutes sortes : les uns obéissant à un code exigeant, les autres, gens de sac et de corde, pochards sadiques qui abusaient de leurs droits pour tailler du vilain. Mais ce n'est pas le sabre, si long et si tranchant soit-il, qui fait la liberté d'esprit et ces samouraïs errants ne sont pas pour autant des aventuriers. Au contraire, s'ils trottent si assidûment, c'est pour trouver un maître, quelqu'un à servir. Toutes ces pérégrinations, ces fatigues : trouver un patron. Et pour manger, me répondrez-vous. Pour manger, bon ! et pour trouver un maître. Ici, un homme sans maître : un bon à rien. Au Japon, qui n'a pas de maître — et il en faut pour tout : maître d'armes, maître à penser, maître de fleurs (on ne fait pas un bouquet sans maître) — est bon pour la fourrière.

Seuls quelques Coréens et *burak*[*] n'ont pas de maître, et il faut voir dans quelle estime on les tient.

Dans l'art aussi, on s'efforce de fournir au public la sécurité dans l'admiration.

La *Vénus de Milo* : plus d'un million de visiteurs rien que pour Kyoto, pedigree à toute épreuve. On peut emporter un sac de papier armorié qui prouve qu'on l'a bien vue, qu'on a fait le circuit, qu'on est devenu *hadji*.

Le jardin du Ryoan ji : quatre siècles d'excellentes références. Plusieurs empereurs en ont éprouvé de la satisfaction. Seuls des gens recommandables y ont travaillé. Chaque pierre choisie avec un soin morose par des experts dont le nom est conservé. Même le petit portail de bambou qu'on distingue à peine, dans les communs du temple, n'a pas été fait au hasard, mais longuement cuisiné par un spécialiste du bambou qui avait trente ans d'affres et d'expérience, et si vous voulez sa généalogie, vous l'aurez. Toutes les garanties sont fournies et vous ne trouverez personne, sauf quelques vauriens connus de la police, qui songe une seconde à mettre le Ryoan ji en question. Les Japonais ne peuvent qu'admirer, ils n'ont pas le choix. C'est pour cela sans doute qu'ils ont l'air tellement emmerdés. Et c'est dommage, car le jardin est vraiment beau.

En redescendant du temple
de Kumano

La tête toujours, la queue parfois, mais vraiment plus beaucoup de cœur, donc plus de jus ni rien qui vaille d'être rapporté. C'est tout de même plus drôle d'être amoureux que d'être informé, ne trouvez-vous pas ? Un homme averti en vaut deux ? mais il ne vaudra jamais le quart d'une dupe amoureuse de la vie. Moi je connais bien cela, et quand la vie me lâche, cette espèce d'hôpital que devient la mienne, ce goût de bile, ces chambres vides. Alors je m'arc-boute, je contre, je m'obstine, je me fais mauvais, dur, tranchant et cette espèce d'eczéma encore qui me mange la figure. Bon signe, ça ! signe que ça bascule. Je verrais très bien une incantation magique commencer par ces deux mots : affûte, aiguise.

> *un rituel du fil et de la lame*
> *un million de coups d'aiguisoir et*
> *l'ombre se retire, tranchée*
> *et je grave une fois de plus sur*
> *le manche*
> *l'encoche d'une victoire secrète.*

On ne peut pas non plus s'incarner toujours, alors quand on n'est pas chair, qu'on soit au moins couteau. Le Diable est un émousseur.

Pour les Japonais, bien probablement, tous les étrangers se ressemblent : les traits, les gros nez, les grands pieds, l'odeur. Mais moi, avec ce visage rongé par l'eczéma et l'oreille droite comme si on l'avait bouillie pendant des heures, j'offre un spectacle unique dont on se souvient. On couvre ça de pommade et ça cuit dessous comme un gigot dans la moutarde.

Allergie, *arerugi*, disent les médecins de quartier. Le citadin japonais fait beaucoup d'allergies et d'éruptions de ce genre. À cet égard, dans les statistiques des capitales, Tokyo n'a paraît-il pas de rivale sérieuse. De la frustration qui ressort, disent les psychosociologues. Elle ressort aussi sous d'autres formes, apoplexie, surtension artérielle, cette espèce de rogne mélancolique qui n'a aucune autre chance de s'exprimer.

Lorsqu'on a ouvert les sarcophages de la Grande Pyramide, certaines momies qui s'étaient parfaitement conservées pendant plusieurs milliers d'années sont tombées en poussière au contact de l'air frais.

Au contraire des momies, la culture japonaise est bien vivante — charriant dans son courant, comme toute autre culture, des éléments fossilisés — et sans doute capable de développer les anticorps et les antitoxines nécessaires pour subir avec succès l'épreuve de l'air frais (considérant la santé comme un équilibre dynamique d'infections combattues et surmontées). Mais il reste qu'en 1945, on a ouvert beaucoup de sarcophages qu'aujourd'hui on aurait tendance à refermer pour en refaire des objets de vénération. Beaucoup de Japonais en sont à se demander s'il y a encore quelque chose dedans, si la momie a bien tenu le coup. On remet ça, mais le cœur n'y est plus.

D'autre part, ce qui rend la confrontation périlleuse pour la culture japonaise, c'est son extrême singularité et son homogénéité : une mécanique peut-être démodée, mais à laquelle il ne manquait pas une vis. Difficile d'en enlever une partie sans compromettre l'ensemble. Il faut donc « changer sans changer », art dans lequel les Japonais sont passés maîtres, ils en ont donné de bonnes preuves lors de la restauration Meiji. Mais alors (1860) ils ont pu la mijoter tranquillement et en vase clos, leur restauration, et ils se sont trouvés avoir une équipe exceptionnelle et un peuple extrêmement docile pour mener l'affaire à bien. Maintenant, tout va plus vite, tout est plus improvisé aussi, et leur désir réel d'innovation et de changement se double toujours d'une crainte pathétique de voir cette culture monolithique (malgré tous les emprunts dont elle s'est nourrie) basculer à la suite d'un coup de levier malheureux.

Au Japon, on ne se voit que lorsqu'il est convenable de se voir. Invité pour huit heures, si vous arrivez à sept le maître de maison ira prendre son bain, en reviendra en camisole, en pyjama, en *fondoshi**, passant chaque fois à vous toucher, sans vous adresser un mot ni un regard. Comme il n'est pas convenable qu'il soit vu ainsi, il ne vous voit pas. Ce n'est qu'une fois prêt qu'il s'avisera de votre présence et viendra à vous avec naturel.

Un professeur de Kyoto attend la visite d'un cousin de la capitale, jeudi par le train du soir. Le mercredi, il l'aperçoit dans Kawaramachi, chargé d'emplettes. Ils se heurtent presque, se reconnaissent parfaitement mais ne bronchent pas. Le jeudi soir, le professeur va, comme convenu, attendre son cousin à la gare, dans le hall central et non pas sur le quai comme on le fait d'ordinaire, pour ne pas l'embarrasser, puisqu'il est déjà là. À six heures, le cousin débarque de l'express de Tokyo qu'il est tout exprès allé prendre à la gare d'Otsu. Alors, on se congratule et on se salue sans la plus mince allusion à la rencontre de la veille.

Enseignements

Dans l'enseignement en général, dans les programmes universitaires, dans la phalange académique, on rencontre souvent un goût de la difficulté *per se*, un éclectisme mal compris, un amour de la « spécialité » qui, finalement, fait province. « *A smell of midnight oil* », comme diraient les Anglais. Des gamines de seize ans qui auraient peine à former une phrase anglaise élémentaire préparent pour les examens des textes de Chaucer ou de Toynbee auxquels, sans être sottes, elles ne comprennent évidemment goutte. Une jeune étudiante qui a deux ans d'italien se lance dans une thèse sur Cavalcanti (1255-1300), obscur ami et précurseur de Dante. Une autre encore sur « Le sentiment de la nature dans le *Roman de la Rose* », sans avoir accès à toute la mystique ésotérique qui entoure Jean de Meung. Il y a, à Osaka, un professeur de « vieux provençal » qui ne parle pas très bien le français, bien qu'il l'enseigne à l'école de commerce ; ce qu'il parlerait, c'est le « vieux provençal » seulement. C'est très intéressant et zélé, tout cela, mais je demande à voir ce que cela donne.

(L'inverse est vrai aussi : je fais un texte sur un pays dont je ne parle même pas convenablement la langue et dont je ne lis pas l'écriture.)

Avant et après la partie, les règles sont celles du football ordinaire, mais pendant le jeu toute l'équipe adverse prend le ballon avec les mains et marque, et ni le public ni même l'arbitre n'ont l'air de s'en apercevoir. Vous êtes le seul à vous étonner et, finalement, à douter de vos sens. Le

Japon me fait souvent cet effet-là, comme dans ces rêves où tout paraît normal jusqu'au moment où l'on s'aperçoit que les aiguilles de la pendule tournent à l'envers, ou que toutes les femmes de cette salle d'attente qui vous regardent si affectueusement sont aveugles.

Passé la première période d'idylle et d'attendrissement gobeur et niais, l'étranger au Japon s'étonne ou s'irrite mais, la plupart du temps, il ne se renseigne pas. C'est un tort car la fantastique énergie avec laquelle le Japon se livre à la technique moderne fait oublier la nature véritable du pays.

Le peuple japonais est une grande tribu du Pacifique Nord qui a conservé dans sa psychologie bien des traits « primitifs » — entendez ce mot sans aucune nuance péjorative —, dont la structure sociale est rigoureuse, très homogène et nettement féodale, dont l'histoire est, jusqu'au XIXe siècle, uniquement nationale, et dont presque tous les caractères particuliers sont le résultat d'une évolution en vase clos.

Pendant près de mille ans, l'étranger n'est pas plus entré au Japon que le Japonais n'en sortait. Pendant toute l'époque Tokugawa, quitter le territoire de l'Empire constituait une offense capitale et les pêcheurs drossés par un typhon sur la côte chinoise ou sibérienne passaient le reste de leur vie en prison, si la charité hors de propos d'un équipage russe ou anglais les ramenait au pays.

Pendant près d'un millénaire, les Japonais n'ont donc pratiquement pas mis le nez dehors. Aujourd'hui, changement considérable, ils voyagent un tout petit peu.

Quant aux rapports avec le monde extérieur, le Japon a été, si l'on veut, découvert plus tard que la Patagonie. Bien sûr qu'il y a les outrances de Marco Polo sur Cipango, et les attendrissements de saint François Xavier sur la docilité de ses ouailles, et ensuite les travaux des jésuites et le petit commerce des Hollandais confinés sur une île de la baie de Kagoshima, mais cela ne fait *pas* un lien. Cherchez dans la littérature européenne du XVIIe, si friande de Persans, de Chinois, de Hottentots et de Hurons : vous n'y trouverez pas le Japon. L'engouement des impressionnistes, Pierre Loti, Lafcadio Hearn ne sont venus que cent ans plus tard. C'est bien après le « Grand Nord » et la « Prairie américaine » que le Japon est entré — alors entré en force — dans l'imagination occidentale. Et à travers quels jeux de glaces ! Et avec quelle distorsion !

Aujourd'hui le Japonais connaît très bien le monde extérieur : place correctement le Matterhorn en Suisse, et la plupart des étudiants savent la date de la *Magna Carta* ; mais c'est une connaissance du second degré, à travers des livres *ad usum japonicum*, et assez sélective pour ne pas les troubler beaucoup.

Lorsque, au moment de la restauration Meiji, le pays a explosé hors de son cadre et envoyé des commissions d'experts puiser la technique occidentale à la source, il a exporté sans s'en apercevoir certaines de ses institutions : les premiers correspondants étrangers des journaux japonais étaient des « espions » dans la bonne tradition Tokugawa, qui comptaient les guérites et les canons du Paris de la Belle Époque ou tentaient de corrompre les cochers de Saint James pour aller relever de nuit et en secret les dimensions du carrosse de la reine Victoria.

Ces choses-là, qui n'accablent pas le Japon mais qui aident à le définir et à le comprendre, on ne les répétera jamais trop.

À propos d'espions, à la belle époque Tokugawa, c'était un métier comme un autre, et plutôt considéré à cause des qualités et des longues études qu'il demandait. Une fois diplômés, ils allaient se placer chez les *daimyo* et travaillaient dans le politique comme dans l'économique. Un espion d'un *daimyo* d'Otsu fut ainsi envoyé dans la province de Satsuma pour s'informer des techniques d'émaillage qui faisaient le renom des potiers du Sud, et en rapporter la recette. Il lui fallut s'installer chez un maître local, s'acquitter des plus basses besognes, prendre femme et séjourner plus de quinze ans dans la place pour gagner la confiance des artisans locaux et obtenir les secrets qui l'intéressaient. Le jour où il en sut assez, il quitta secrètement la ville en abandonnant les siens, rentra faire rapport à son maître qui lui donna un titre et une terre, et les potiers d'Otsu recommencèrent à faire des affaires.

À la fin de la dynastie mandchoue, les soldats de l'impératrice Ts'eu-hi — de pauvres diables mal payés qui prenaient leurs jambes à leur cou quand cela bardait — portaient sur la poitrine un grand idéogramme, visible de loin, et qui signifiait « redoutable » ou plus simplement « courageux ». Bon exemple de formalisme ; le formalisme : le signe pour la chose et souvent la chose n'y est plus. Ainsi, plus la politesse devient formelle, moins le cœur y prend de part. Il y a tant à faire à s'acquitter que l'on n'éprouve plus rien. Aussi dans un milieu régi par une étiquette impérieuse, il faut trouver des substituts pour exprimer la sympathie ou l'anti-pathie qui teintent les rapports sociaux. D'où, au Japon, l'importance de l'« ambiance » — *ki-mochi* — grâce à laquelle la sympathie passe par osmose au-dessus des formes rigides du proto-cole. D'où l'importance aussi du sourire, dans lequel on peut enfermer ce que l'on veut, et qui n'est pas du tout mécanique, mais exprime une infinité de nuances, de la confiance la plus entière à la réprobation la plus catégorique.

Août

Ici — superstition, bouddhisme ? — on ne tue pas les chatons à leur naissance. Pour une semaine, on les livre aux enfants qui s'en amusent et, lorsqu'ils sont estropiés un peu, on va les perdre dans un parc public, dans l'enceinte d'un temple bouddhique, mais toujours le plus loin possible de la maison, de crainte que l'esprit de l'animal mort de faim ne retrouve le logis dont on l'a exilé et n'en tire vengeance. Les paisibles allées du Daitoku ji sont ainsi peuplées de petits moribonds résignés et pouilleux qui tremblent au gros soleil sur leurs pattes grêles.

Le temple voisin du Daisen in possède un grand cimetière. Il est donc riche puisque les temples bouddhiques tirent le plus clair de leurs revenus de la récitation des sûtras funéraires et du soin qu'on apporte aux tombes dans certaines occasions particulières. Pendant la semaine du *O Bon**, « *ichi nichi dju mokarimas…* » (l'argent « rentre » toute la journée).

Les familles qui n'ont pas de quoi payer le bonze garnissent la tombe de mignonnes bougies, de bâtonnets d'encens et de gâteaux de riz et récitent en chœur et à toute allure, avec des voix allègres et galopantes, des sûtras qui sonnent comme des comptines. Pour un peu d'argent, le bonze se charge de psalmodier, agite une petite sonnette et mène lui aussi l'affaire à bride abattue, l'esprit souvent fixé sur le repas de viande que la famille du mort est tenue de lui offrir.

Un cimetière japonais n'est jamais vide : des gamins y font du surplace en vélo ou se bombardent de nèfles pourries, des filles aux fortes cuisses s'y coursent à perdre haleine avec déjà de grosses voix de mégères. Tout cela suggère des rapports avec les disparus tellement plus harmonieux et aisés qu'avec les vivants.

Ici, hégémonie du mâle, mais il n'est pas roi, il est plutôt adjudant et se décharge parfois sur les femmes de tous les petits affronts qui lui ont été hiérarchiquement distribués dans la journée. J'ai vu, ou plutôt entendu tout à l'heure un jeune gaillard de vingt-cinq ans gifler sa femme en pleine rue. Ça a pété sec. Ils marchaient dix mètres derrière moi ; elle a murmuré quelque chose et ça lui est parti dans la figure comme un coup de pistolet. Comme elle avait les bras chargés de fleurs, elle n'a pas pu esquiver. Elle a simplement changé de trottoir sans broncher.

Peut-être qu'elle l'avait cherché et que cela lui venait bien, je n'en sais rien, n'ayant pas compris l'objet de la dispute. Mais enfin tout le monde avait l'air de penser que c'était dans l'ordre des choses et que les visages des femmes sont faits pour être claqués. Elle aura d'ailleurs sa revanche, même si elle doit l'attendre dix ans — mais c'est une autre question. Bref ! climat parfois un peu lourd pour Éliane.

Cela n'empêche évidemment pas toutes sortes de couples heureux, dévoués, attentifs, etc. Le mariage arrangé continue à régir la majorité des cas, et souvent réussit très bien. Mon cher ami Sonobe (barman-poète-photographe) a ainsi été marié par le conseil d'administration de la compagnie de chemin de fer qui l'employait. On l'a convoqué pour lui dire : « Que penseriez-vous d'épouser la fille unique de notre collègue X ? » Il pouvait refuser, évidemment. Il l'a vue six fois. Ils sont mariés. Cela va très bien. Elle est tout à fait « vieux Kyoto » dans son éducation, apporte les plats et disparaît ensuite, ne parle pas un mot d'une langue étrangère, mais lorsque dans son trouble elle a oublié quelque chose — les baguettes par exemple — qui bouleverse le protocole, elle claque dans le dos de son homme en éclatant de rire et tout le monde se marre.

Notre quartier, territoire de soyeux pauvres, vit dans l'ombre austère du Daitoku ji. Le temple — plutôt le complexe de vingt-deux temples qui le composent — est pauvre et puissant, le quartier est pauvre-pauvre mais nourrit les temples qui usent de leur prestige et de leurs superbes bâtiments pour faire vendre la soie. Ruelles rectilignes et vieilles maisons couleur de bois flotté qui vibrent du tremblement des métiers. Quartier des plus traditionalistes dans ses façons, et rouge dans ses opinions.

Au bas de la rue commerçante qui le traverse dans l'axe nord-sud, il y a dans une courette un petit *sutoripu* (strip-tease) assez province où je suis entré après quelques disputes au sujet de mon appareil (pas de photo). Dommage. Dans la fosse, un saxophone et une batterie jouaient du charleston. Sur l'estrade éclairée *a giorno*, une grande jeunesse mélancolique et très poudrée jouait d'une main avec un éventail de plumes, et de l'autre écartait — elle était accroupie au bord de la scène — gracieusement les lèvres de son con pour deux douzaines de spectateurs jeunes et vieux qui quittaient leur place, poussaient des hourras, chaussaient leurs lunettes et fourraient littéralement la tête entre ses cuisses blanches pendant que le service d'ordre (un jeune homme malingre et autoritaire) distribuait des claques à ces éperdus en criant « *o-kiaksan wa seki e o-kaeri kudasai* » (que messieurs les invités veuillent bien regagner leurs sièges !) et que la fille, flattée par cet émoi, frappait de son éventail le nez des plus indiscrets, avec un sourire un peu désabusé mais royal et qui la dépassait bien. Il y a eu cinq autres « artistes », certaines en toilettes de mariées occidentales, d'autres en toréador, mais cela finissait toujours de la même façon, la ruée vers ce con ouvert. Ce n'était pas du strip dans le sens qu'elles ne font pas de mystère — elles se montrent nues. Les filles d'ailleurs jeunes et parfois jolies, bien qu'avec passablement de cicatrices et de gnons que le maquillage cachait mal. C'était d'un érotisme absolument cru, sans détour et bien plus proche d'un culte phallique ancien ou de statues de Madura couvertes de sperme que du « Crazy Horse Saloon »...

(extrait d'une lettre)

Littérature

Il fait froid dans la littérature japonaise. Dans *La Clé* (Tanizaki), *Le Fusil de chasse* (Inoue), dans l'admirable nouvelle *La Femme de Villon* (Dazai), un vent continuel sépare les phrases et les êtres. Les personnages et leurs tribulations, comme recroquevillés dans un espace hostile. De la compassion parfois, du cocasse triste, mais je n'y ai jamais trouvé encore de gaieté véritable. Ce qui constitue le fond c'est le cafard, le « spleen », une sorte d'insuffisance d'être admirablement ressentie et exprimée, ce qu'Inoue appelle « le chagrin d'être en vie ».

Il y a un mal du vide, qui est bien de notre temps, qu'on cherche à dissimuler par une agitation frénétique, qu'on aveugle par des drogues de toutes sortes, et dont l'intellectuel japonais fait son ordinaire. Il l'affronte quotidiennement comme un soldat la mitraille et, lorsqu'il en réchappe, cela donne des œuvres marquées, des œuvres de « rescapé » comme celles que j'ai citées ou comme les chansons de *Narayama* qui ne peuvent laisser personne indifférent.

Relisez Maupassant dont Akutagawa s'est tant inspiré, dont les Japonais en général sont si férus. Maupassant : un grand fond de solitude et de glace, une révolte qui n'aboutit pas, quelque chose de forcené, la tête contre les murs, l'écrasement des personnages. On retrouve tout cela, et pour de bonnes raisons, dans la littérature japonaise d'après la restauration, tempéré seulement par de l'esthétisme. (L'histoire peut être lamentable, les personnages lentement anéantis, mais il n'y aura pas de pâtés sur la page.)

À l'école d'acupuncture

Si je ne savais pas qu'en voyage les échecs et les portes fermées vous en apprennent parfois autant que les succès, le Japon me ferait parfois perdre courage.

Une heure et demie de train et deux changements pour aller photographier une école d'acupuncture quelque part au sud d'Osaka. Le coin est lugubre, moitié HLM, moitié rizières. Parcs à camions, cabanes où l'on débite du saké « blanc », ateliers de vulcanisation. Ici et là, des êtres sans âge font brûler des ordures. Autour de la gare, des troupes de pauvres filles épaisses et trop fardées attendent le train vers Osaka et les emplois de la nuit. Cette banlieue est un des fiefs de la « bande Yamaguchi » qui y recrute ses hommes de main et l'infanterie de la prostitution. Dans la gare, une grande affiche posée par la police illustre le proverbe bouddhique sur le « Singe-qui-ne-voit-rien-n'entend-rien-ne-dit-rien » pour encourager la délation. Bizarre qu'un institut médical aille s'établir dans ce voisinage-là, mais à la réflexion, le massage peut servir d'alibi à d'autres exercices, et l'acupuncture est bonne fille. Quant à l'école, elle ne correspond guère à l'image que je m'en faisais : les locaux sont délabrés, une fois de plus on m'a mal renseigné et les cours ne reprennent pas avant six heures. En explorant les salles vides je découvre un vieux mannequin anatomique au pathétique faciès d'Utamaro et surprends la concierge en train de se faire frire une omelette sous une planche d'acupuncture où l'on voit de cruels circuits fulgurer du cœur vers les extrémités. Voilà tout mon butin. À l'entrée, un vieillard en blouse blanche (médecin ? professeur ?) fait des écritures, installé dans une cage vitrée. Son crâne poncé jette mille feux, et bien malin qui pourrait dire son âge. Je vais lui présenter mes respects et lui demander si son institut possède des documents anciens que je pourrais photographier. Il lève sur moi des yeux morts et opine en fixant un point dans l'espace. Je crois qu'il n'a rien entendu et me prépare à répéter ma question quand trois voyous qui flânent sur le pas de la porte en attendant l'heure des leçons m'abordent, m'expliquent que j'ai bien tort de me mettre en peine pour ce vieux chnoque qui ne compte plus, que je n'ai qu'à prendre ce qui m'intéresse dans les armoires, et même à l'emporter si le cœur m'en dit. Ce n'est plus Kyoto ici, c'est la vie, et l'étiquette y perd sa place. Ils m'emmènent aussi dans une salle de « pratique » où un de leurs copains malade subit les assauts maladroits d'un vieil élève masseur (un ancien militaire, me dit-on, qui retourne à l'école dans l'espoir que ce diplôme lui permettra de gagner quelques sous). Il s'y prend mal, chatouille alors qu'il devrait soulager, et la séance dégénère en fous rires, en torsions disgracieuses dont moi, photographe venu tout exprès de Kyoto, avec des appareils empruntés, je ne puis tirer aucun parti.

En fouillant dans une armoire — des béquilles me dégringolent dessus — je trouve tout de même un grand crâne copié dans une anatomie chinoise, dont les parties sont décrites par des *kanji*[*], pour moi incompréhensibles, qui expriment cependant bien ce que j'éprouve : un vrai grimoire, la tête des autres ; on peut bien se préoccuper d'en énumérer les morceaux, mais quant à savoir ce qu'il y a dedans... !

Kyoto-Tokyo 1

Un mot important : *sonno*, respect à l'empereur. On en tire un composé plus important encore : *sonno* plus un idéogramme que je ne puis lire, *respect-à-l'empereur-et-haine-de-l'étranger*. Ce mot, et cela peut surprendre, a été le cri de ralliement de la restauration Meiji. Le shogun avait dû baster devant les canons de Perry et ses adversaires ont exploité cette défaite pour ramener l'empereur. Une fois l'opération réussie, ils ont basté eux aussi et signé tous les traités qu'on voulait, et dans certains cas, les plus furieux de ces réformateurs ont établi des relations très amicales avec les étrangers qui forçaient l'entrée de leurs ports — comme le *daimyo* de Satsuma. On peut penser que l'argument a été employé cyniquement par des politiciens avisés. Et puis, après deux siècles d'isolationnisme

Tokugawa, l'étranger était pour le Japonais populaire aussi mythique que le Vénusien pour l'homme d'aujourd'hui. On le représentait avec un nez énorme, sorte de trompe dans un visage d'une cupidité et d'une épaisseur ignobles. Depuis les mesures prises par Ieyasu[1] contre les chrétiens, l'opinion était unanimement défavorable à l'étranger : un démon sans parole et responsable de toutes sortes de méfaits. Pendant près de deux cents ans, le commerçant étranger n'a d'ailleurs pas pu poser le pied sur le sol du Japon, parqué qu'il était dans la petite île-comptoir qu'on leur avait concédée dans la baie de Kagoshima (il n'y avait, dans l'attitude japonaise, pas trace de cette curiosité mêlée de sympathie, qui caractérise l'attitude du XVIIIe européen à l'égard de l'étranger). L'étranger était donc un mythe, et la « haine de l'étranger » un moyen commode de canaliser la frustration d'un peuple contrôlé par une discipline rigoureuse. Commode et sans danger. L'unité et la tranquillité nationale accomplies aux dépens d'un absent imaginaire. Comme dans le conte de Maurois où les puissants de la Terre font courir le bruit d'une attaque lunaire pour mettre un terme aux querelles des Terriens. Si les shoguns ont délibérément joué sur cette corde-

1. Ieyasu Tokugawa, fondateur en 1603 de la dynastie Tokugawa. (*N.d.E.*)

là, ils ont agi avec intelligence et le système était sans danger aussi longtemps que l'étranger ne se matérialisait pas. Mais avec Perry, il s'est matérialisé et a ajouté à tous les défauts qu'on lui prêtait une qualité essentielle pour les Japonais : il était le plus fort. Les politiciens de la restauration, qui avaient la tête froide, firent un revirement complet et se mirent à courtiser ce même étranger qui détenait des techniques si utiles. Là encore, il faut louer leur réalisme. Le peuple — qui a par ailleurs beaucoup de gentillesse naturelle — eut plus de mal à suivre. La « haine de l'étranger » ou plutôt, la méfiance à son endroit, était entrée dans l'outillage mental du Japonais et depuis, elle n'en est jamais tout à fait sortie.

J'ai vu cela en petit, dans la Yougoslavie de 1950. Tito venait de renverser la vapeur, maudissait Staline et Moscou, et se tournait vers l'Occident. Pour tous les gens du peuple, nous étions encore l'ennemi. On le leur avait trop dit.

Au fond d'eux-mêmes et en toute bonne foi, la plupart des Japonais ne savent pas s'ils aiment l'étranger ou s'ils le détestent. Probablement les deux. C'est cette ambivalence qui est si fatigante.

Si vous vous « remettez entièrement entre leurs mains » ce sera facile ; ils vous montreront une sorte de Disneyland, le Japon tel qu'ils le rêvent ou tel qu'ils désirent qu'on le voie, un

Japon en tout cas moins attachant que le vrai avec toutes ses épines, vous demanderont avec une inquiétude pathétique « si vous aimez ça », vous direz oui, et on se quittera à la gare avec des cadeaux et, de leur côté, le sentiment d'une mission bien remplie et que tout s'est passé sans accrocs.

(Au fond, deux moyens seulement de mettre les choses en perspective : la pratique courante de la langue, et l'histoire du pays. Comme on ne peut pas faire de la grammaire, faisons de l'histoire.)

Kyoto-Tokyo 2

J'aime le sumo — la lutte japonaise. De tous les sports de combat, c'est le seul à avoir un fond paisible. Le seul vraiment débarrassé de haine. Malgré leur poids, leurs muscles, leur combativité et leur vitesse, les sumotori sont de bons bourrins travailleurs qui, gagnants ou perdants, regagnent l'écurie sans rien laisser paraître et se remettent au travail. Certains — ceux de la variété « plate » qui n'utilisent pas le ventre comme un boutoir — ont des musculatures superbes, sans rien de noué ou de furieux. Ils font penser à des arbres plutôt, bien enracinés et qui respirent. Parfois, les têtes ont de l'allure et même une véritable beauté. Ils n'ont en tout cas pas de ces gueules vicieuses et pincées telles qu'on en voit dans les salles de karaté. Dans le sumo : pas de grimaces, pas d'hystérie, pas de ces « mauvais coups » — étranglements, manchettes à la carotide, etc. — qui paraissent si puérils et ubuesques depuis l'invention du revolver. Non : le plat de la main dans la figure (pour pousser, surprendre ou aveugler l'adversaire), des prises de bras et de ceinture, de la force, de la vitesse, une prodigieuse technique de l'équilibre et de l'anticipation.

Lorsque les sumotori se blessent, c'est en tombant l'un sur l'autre en dehors de l'arène qui est très exiguë, et c'est rarement délibéré. Il faut qu'ils soient déjà bien montés contre l'adversaire pour ne pas l'aider à se relever et ces manifestations de mauvaise humeur ne vont jamais plus loin. Il y a dans cette autorité sur soi-même quelque chose d'admirable, parce que le choc de ces deux montagnes de muscles lancées à toute allure — et il y a souvent beaucoup d'argent à la clé — est tout de même de nature à susciter un peu d'animosité.

Enfin un sport de combat qu'on est parvenu à purger de l'instinct de meurtre et de la rogne ! Parce qu'on se lasse des atémis, des torsions, de tout ce temps précieux passé dans les écoles, à apprendre à des gamins qui n'auront jamais la tête assez remplie là où il faut taper pour faire mal. Les crânes rasés, les oreilles en chou-fleur, les mains durcies et déformées des adeptes du karaté, et tous ces petits tueurs potentiels qu'on finit par fabriquer quoi qu'on en ait.

L'autre jour, à la station de métro « Kanda », j'ai vu un étudiant rosser un voyou à moitié ivre qui s'en prenait à des passagers terrifiés. Le voyou l'avait bien cherché, par ailleurs, l'étudiant avait une bonne tête et essaya pendant un moment de raisonner son adversaire en esquivant les coups que l'autre lui portait. Mais quand il perdit patience et se mit à taper, je le trouvai affreux : un coup de pied, un coup de genou, une manchette au cou et un coup de poing décochés dans le même mouvement et l'autre était hors de combat, ses vêtements à moitié arrachés. Il faisait du zèle, il en savait trop et toute cette technique accumulée au gymnase demandait à sortir. La belle tête d'adolescent était devenue vipérine ; les spectateurs commençaient à râler, engueulaient le justicier qui reprit soudain possession de lui-même, ramassa ses cahiers et se fondit dans la foule. Deux employés de la gare réconfortaient la gouape et lui rentraient sa chemise dans les pantalons, en riant de façon servile — on préfère ne pas le voir revenir avec ses copains.

Cela faisait réfléchir : on ne pouvait pas non plus donner tort à l'étudiant : n'importe qui en sachant aussi long se serait laissé déborder dans ces circonstances-là. Mais il y en a des myriades comme celui-là : de bons bougres, pleins de sentiments délicats qu'ils auraient honte d'afficher, et qui, parfaitement formés au combat de rue, feront ce qu'on leur dira de faire s'ils appartiennent à une société, une amicale, à un « machin » quelconque.

Chez nous, la plupart de ceux qui en viennent aux mains frappent de travers, mollement, ou à côté en vomissant des injures terribles. Exhibition pitoyable si l'on veut, mais combien réconfortante lorsqu'on pense que les cellules du foie ne se refont pas et que la boîte crânienne a mieux à faire que d'accommoder des chaussures à clous.

À Tokyo, la police mobilise mille flics casqués et armés pour contenir une manifestation de douze cents étudiants.

Kyoto-Tokyo 3

La maison japonaise regorge d'ustensiles traditionnels d'une forme pure, d'un emploi malaisé et d'une exécution parfaite qui prouve qu'on a pris de la peine et du temps, et qu'on avait un goût sévère.

Nostalgie universelle du « fait à la main ». En Amérique, certains achètent de la peinture uniquement pour avoir dans leur logis un objet fait à la main. Dans la poterie japonaise, on laisse volontairement traîner des marques de doigts.

La main réchauffe les objets et nous les rapproche ; on se rassure, on la reconnaît, il n'y en a que pour elle. C'est un stade. Peut-être un jour apprendra-t-on à reconnaître la tête d'où sont sortis les circuits électroniques et les machines, et à s'en réjouir pareillement.

Dans l'admiration complaisante du passé et du dépassé, il y a aussi une nostalgie de l'enfance de la race. Il y a de vieilles mécaniques maladroites qui nous attendrissent comme des mots d'enfants : comme ils s'y prenaient mal ! Quels amours ! L'archéologie, l'histoire : notre album de famille qu'on feuillette pour se souvenir. Nos ancêtres sont comme nos enfants, on les regarde découvrir tout ce que nous savons déjà. Le temps est retourné. Mais le temps passe tout de même ; on nous a coupé nos boucles ; le jeu a gagné en ampleur et a perdu en gaieté. On ne peut plus crier « pouce ». Nous étions ignorants et amoureux des choses, nous en sommes maintenant informés. On n'a pas le choix : il faudra retrouver l'amour en avant.

Si je voyais un homme du Néolithique fabriquer sous mes yeux, à l'aide d'un simple grattoir, une hache de pierre, et l'emmancher solidement dans un os, je serais plein d'estime. On ne ferait plus ça aujourd'hui ; le tour de main s'est perdu, c'est un fait. Mais la hache d'acier suédois et la carabine Remington donnent tout de même de meilleurs résultats.

Je suis sensible aussi à certains aspects de la médecine traditionnelle chinoise qui a fait souche au Japon. Dans le manège des masseurs, dans l'attirail des poseurs de moxa, il y a quelque chose qui satisfait ce besoin que le malade a de voir intervenir un peu de magie (une maladie qu'on attaque sans magie aucune, sans ruses ni vitesse, reste sur ses positions). Également l'idée que si l'on parvient à duper la maladie — certains exorcismes visent à duper les démons — on guérira. Mais lorsqu'on parle des *amma-san* (masseurs) aux neurologues japonais, ils entrent en fureur : tissus d'erreur et temps perdu.

Le respect et l'amour du passé, bon. Et sans doute, le plastique est-il moins beau que le bois d'olivier. Mais il est bien probable aussi qu'en Assyrie, mille deux cents ans av. J.-C. les premières ménagères à posséder des écuelles de fer aient été considérées par les esprits moroses comme des sottes et des parvenues.

Kyoto-Tokyo 4

Un côté kafkaïen du Japon : ces portes massives, imposantes (moins qu'en Chine mais tout de même), ces palissades, ces barrières, autorisations, patte blanche, introductions, personnages importants dont la caution vous permettra d'entrer... et quand finalement on est dedans : la maison est insignifiante, ou presque vide et les objets qui vous intéressaient sont au « clou » depuis longtemps. Malgré tout leur bon vouloir, vos hôtes n'ont rien à offrir ; vous les embarrassez. C'est pour cela qu'on ne vous laissait pas entrer.

Il en va souvent ainsi des gens qui « font les mystérieux » : c'est leur néant qu'ils dissimulent, ou l'espoir, qu'après tout on ne peut blâmer, que derrière ce néant dont ils souffrent se cache quelque chose qu'ils ne connaissent pas encore.

Littérature

Si l'on comprenait tout, il est évident que l'on n'écrirait rien. On n'écrit pas sur : deux + deux = quatre. On écrit sur le malaise, sur les sentiments complexes qui naissent de : deux + deux = trois ou cinq.

Ainsi le voyageur écrit pour mesurer une distance qu'il ne connaît pas et n'a pas encore franchie. Si je comprenais parfaitement le Japon, je n'écrirais rien de ces lapalissades, j'emploierais mieux mon temps, je ferais — qui sait ? — du Robbe-Grillet en japonais.

Lorsque le voyageur-arpenteur est parvenu à

se débarrasser à la fois de l'attendrissement gobeur et de l'amertume rogneuse que suscite si
souvent « l'estrangement », et à conserver un ly-
risme qui ne soit pas celui de l'exotisme mais
celui de la vie, il pourra jalonner cette distance
et peut-être, si le cœur est bon, la raccourcir un
peu.

Le psaume du mukade
(Zuiun Ken)

> *Ici... là... où ?*
> *ses fines antennes brûlantes*
> *palpent éperdument le velours venimeux du soir*
> *un* mukade
> Scolopendra japonica
> *cantatrice folle*
> *ondule, se tord et s'exalte*
> *dans les retraites de mes plafonds pourris*
> *trop de venin, trop d'amour*
> *pour qui est cette seringue vivante ?*

Kyoto 1967

Près du temple de Hachiman, entré chez un
bouquiniste pour y chercher un ancien numéro
de la revue *Bungei Shunju* (on n'aurait pas l'idée
de chercher du neuf ici). La boutique était

sombre, poussiéreuse comme une tombe et noyée dans des flots de musique. Des plantes grasses centenaires dans des pots de *tamba**, couvertes d'une fine couche de poussière. Des piles d'almanachs astrologiques, d'autres de vieilles calligraphies, et quelques pendules hors d'usage (ici le temps ne passe plus) également recouvertes de ce même velours de minons. Installé dans une niche qui domine les rayonnages, engoncé dans deux pèlerines noires, le libraire somnolait comme un chat en écoutant l'adagio du *Concerto pour piano* de Rachmaninov. Sa tête ronde, sans âge et sans rides, couleur de vieil ivoire sous un petit calot de feutre. J'ai dû me retenir pour ne pas passer l'index sur ce front luisant et regarder s'il s'était noirci. Tout le temps que j'ai passé dans sa boutique, il n'a pas battu une seule fois des paupières, mais je voyais ses prunelles sombres me suivre et glisser d'un bord à l'autre des yeux mi-clos. J'ai dû rester là une bonne demi-heure, à retourner des livres que je ne regardais même pas. J'écoutais dégringoler ces guirlandes de piano russe sur cet amoncellement de brochures en lambeaux. Sentiment d'avoir, à plus d'une reprise, vécu exactement ce moment-là. Entre les plantes en pots j'ai découvert alors une petite boîte de céramique, de la taille d'un écu, dont le couvercle portait, presque effacé, le visage d'un des « Sept Dieux du bonheur ». Un très curieux visage qui résumait à la fois celui du libraire, plus la musique, plus — d'une certaine manière — ma présence dans cette boutique. Plus un aspect de Kyoto que j'ai saisi ce matin-là pour la première fois : cette même hormone qu'une certaine qualité de juifs ont fournie à la culture européenne, c'est Kyoto qui la fournit au Japon : les lunettes basses sur le nez, un parler suave, un humour sentencieux et très enfoui, une grande mémoire, quelque chose de collectionneur et de douillet.

J'ai sorti la boîte et demandé le prix.

« Elle n'est pas à vendre, a répondu le brocanteur, et pas à un étranger en tout cas. » Il parlait paisiblement et sans aucune intention de m'offenser. Je suis allé déjeuner et dans ma tasse de café j'ai revu très précisément le visage de la bonbonnière, qui me dévisageait d'un air narquois. Je suis alors retourné à la boutique pour voir si, à défaut de me vendre cette boîte, le vieux ne me la donnerait pas.

« Alors ? vous ne voulez vraiment pas vous en défaire ?

— Elle est ancienne, elle serait donc chère », a-t-il répondu, mollissant un peu et assez intrigué par cette insistance.

Je n'ai rien répliqué et l'ai laissé mitonner dans son jus.

« Pas si vieille que ça, à vrai dire, a-t-il repris au bout d'un moment, cent cinquante, cent soixante ans peut-être. Vous la voulez comme mascotte, c'est ça ?

— C'est quelque chose comme ça. D'une certaine manière elle est déjà à moi. »

Il s'est mis à souffler dessus sans mot dire puis à l'emballer lentement. Finalement il m'a demandé cent yens (le prix d'un café crème), sans doute pour me mettre à l'aise. Rentré au pas, la boîte dans ma poche. Le ciel était encore clair, les rues, remplies d'étudiants noirs et râpés, le visage gonflé et pâle, qui marchaient lentement, le nez dans un livre. Je n'aurais pas été surpris du tout de les entendre murmurer de l'hébreu.

Grands cris de bienvenue hier soir dans ce petit troquet tenu par deux renardes : la mère et la fille, où je n'avais pas mis les pieds depuis plus d'un an. La fille, moins belle que le souvenir que j'en avais gardé : c'est qu'elle s'est mariée, pas besoin de chercher plus loin. L'air abattu, le regard terne, plus rien de l'allure empesée comme un drap frais, un peu lointaine, qui était tout son charme. De gros chaussons de laine aux pieds qu'elle n'aurait, voici un an, pas portés pour un empire.

Ils ont, grande merveille, la télévision couleur. Les couleurs ne sont pas très bien fixées encore et « coulent ». Un jeune homme bien lavé y chantait : « *Boku no kokoro wa kawaranaï* » (mon cœur ne sera pas volage). Un autre, qui lui a succédé : « Si seulement je pouvais t'avoir, je n'aurais plus besoin de l'*eleki**. » Seulement, il ne l'aura pas. Puis une jeune femme en twin-set qui chantait du flamenco dans d'immenses champs de tulipes. Nous ne savions pas que la tulipe était espagnole. Peut-être que désormais on va demander ici aux touristes hollandais : « Vous avez-t-y aussi de belles tulipes comme ils en ont en Espagne ? »

Ce qui me frappe encore ici : un air à la fois savant et paysan. De longs mentons pleins de savoir, d'obstination et de lenteur. Peut-être que cet engourdissement est affecté, peut-être est-ce seulement pour la rue. Peut-être que, de retour à la maison, quelque chose s'allume dans ces regards glauques, mais je n'en jurerais pas.

Lenteur. Une décision ne se prenait pas sans qu'on ne s'y soit mis à quinze ou seize. Un homme aura beau courir de-ci de-là comme un diable et s'agiter comme un électron, ce n'est toujours qu'à l'intérieur de cette lenteur plus grande, et il n'en peut pas venir à bout. Et qu'est-ce que la vitesse d'un seul dans ce pays où *un* vaut moins que l'unité ?

« La mort est plus légère qu'une plume, mais l'étiquette plus lourde qu'une montagne », dit un proverbe japonais dont Ruth Benedict fait grand usage et dont elle grossit démesurément le tragique. C'est vrai pour les cas extrêmes, pour les situations cornéliennes (il y en a encore, lisez les journaux), mais tout de même, dans l'ordinaire, cette démultiplication que l'étiquette entraîne, ces trajets par les deux bandes soigneusement concertés, ces trajectoires de mortiers ou ces ricochets dans l'espace social courbe qui est celui du Japon, ce jonchet à l'envers où il n'est pas permis de bouger une pièce sans en faire bouger d'autres, c'est une façon aussi de passer le temps ; et les vieilles femmes qui sont entremetteuses par nature, c'est même un jeu auquel elles doivent prendre grand plaisir. Lorsqu'on les voit se mettre de bon matin, un cabas au bras, sur le sentier de la guerre, pour faire mille très indirectes et infimes démarches, et mettre en branle mille menus mécanismes dans l'idée d'assurer un avantage insignifiant à un parent éloigné, on se demande comment elles auraient mieux pu employer leur journée, et si ce formalisme n'est pas le meilleur prétexte à visites de commères, à médire un peu du prochain et à propos glissés dans l'oreille sur la dimension de certains organes. Cela fournit également un excellent substitut à l'imagination, vertu que le confucianisme n'a jamais beaucoup encouragée ni prisée. Quant à celles, d'également humble extraction, qui se font huit révérences profondes en observant à travers les tiges d'oignons qui débordent de leur sac à provisions le chignon de leur partenaire — il y a une façon de glisser le regard sans relever la tête, comme un *puck* au hockey, pour vérifier la position de l'autre —, n'allez pas me dire qu'elles ne s'amusent pas.

À Kyoto, la couleur la mieux portée, et de loin, c'est le gris. Soyez gris sur gris pour être vu. Faites-vous petit et humble comme le myosotis, alors on vous remarquera — au bout de dix ans il est vrai. Ici, seuls ceux qui sont poètes (poètes ivrognes de préférence), ceux qui ont le mors aux dents, et ceux qui ont traversé le zen avec succès ne sont ni petits ni grands. Sont comme ils sont. Le zen s'en prend à l'ego, mais au Japon c'est un ego déjà si rabougri que quelques bonnes claques en viennent à bout et, cet ego humble et subalterne une fois porté en terre, adieu l'humilité et l'effacement superflus. Avec les Occidentaux, le processus est plus douloureux. Pour le bien ou pour le mal, leur ego est plus musclé. On tape dessus et il enfle. C'est naturel. On tape encore et pour des mois, sinon des années, les adeptes occidentaux promènent comme un pouce luxé cet ego mortifié, endolori, encombrant et qui ne veut pas rendre l'âme. On passe donc son temps à le replier, à le rentrer comme un mouchoir trop voyant qui reviendrait toujours bâiller à la poche d'un costume très strict, gris bien entendu.

Les femmes

Un père jésuite (faites-leur confiance ici), auquel j'avais dit : « Il serait fâcheux que les femmes perdent peu à peu le terrain politique que l'après-guerre leur avait laissé », lève les bras au ciel en criant presque d'une voix de fillette : « Ne leur en donnez pas plus, elles n'en ont déjà que trop ! » Il voit presque le pays comme une sorte de matriarcat secret. Cela m'a fait réfléchir. J'avais tout de même le sentiment que leur situation laissait encore un peu à désirer. Avez-vous vu les films japonais sur le milieu ? On n'y va pas pour y trouver de la romance, c'est entendu ! Mais je n'ai jamais vu au cinéma les macs traiter leurs filles avec cette brutalité machinale et ce sadisme-là. À y regarder de plus près cependant, on s'aperçoit que cette violence masculine pue le ressentiment et la rogne impuissante. En fait, sous couvert d'effacement, les femmes tirent toutes sortes d'ingénieuses ficelles, trament, sont officieuses en diable et prennent grand nombre de décisions dont le succès profitera à tous, mais dont l'échec sera réduit aux proportions de leur insignifiante personne. « C'était ma secrétaire qui s'est cru permis de... », etc., au lieu de s'excuser en personne. Mais ce pouvoir occulte se paie cher, car il faut sauver cette face de faiblesse et de soumission. Lorsque les étrangers parlent de la soumission de la femme japonaise, ils n'ont vu que ce qu'on leur montre et ne savent pas encore qu'ils ont rencontré plus dur et plus fort qu'eux.

Surtout, les Japonais oublient — effet naturel de la vanité masculine — que la « petite » qu'ils ont eue sans trop de mal n'a pas dormi avec eux, mais avec leur compagnie. C'est elle d'un côté, Shell ou McCormick de l'autre. Lui ne compte guère : c'est une ombre qu'on encense, qu'on flatte et qu'on gonfle à loisir. Là vraiment : « C'est Shell que j'aime. » Elle se voit d'un côté, la masse de la compagnie de l'autre, et voit très bien en faveur de qui la pesanteur travaille et de quel côté penche la balance. C'est aussi simple qu'une addition pour un esprit formé par une culture supra-individuelle. Dans les boîtes de nuit et les bars, lorsque les *cha-cho* (directeurs ou *high executives*) apparaissent, les filles savent qu'elles en ont pour la nuit entière, qu'elles doivent être à disposition et, comme les pommiers d'Apollinaire, « de très loin, elles se résignent ». Avec enjouement, avec grâce, elles vont alors s'asseoir sur les genoux de Matsubaïra Koten and Co. ou de Chemical Incorporated. C'est ce qu'on appelle — au sens newtonien — la chute des corps.

Mais vis-à-vis d'un homme qui ne représente que lui-même, les conditions de la tractation sont changées. Il faudra un siège, de la patience, parler Schubert pendant trois semaines avant de risquer un mot osé, traverser des nappes de chantage sentimental avec, pour arrière-plan, la « famille-à-laquelle-on-doit-tant » alignée comme autant de fantômes sévères dans une sorte de brouillard. Il faut épouser souvent, et quand on s'y refuse, le lâchage est souvent aussi délicat que le désamorçage d'une bombe.

Voici deux ans, lors d'un rendez-vous galant, un officiel philippin hautement placé a été châtré par sa petite amie d'un coup de ciseaux sans bavure. Il en est mort. C'est un cas — il y en a — où la passion jalouse l'emportait sur les considérations sociales. Vous voyez qu'on est tout de même parfois aimé pour soi-même. Ne désespérons pas.

« Onna yowaishi haha tsuioishi » (la femme n'a qu'à marcher droit ; la mère peut faire la loi).

Yukai

Yukai (la gaieté), la vraie, a toujours et partout été une chose rare. Ici, elle est plus rare encore. Prenez la télévision : beaucoup de talent, parfois même un petit chef-d'œuvre, mais deux fois sur trois vous tomberez sur des gens en train de violer, de pleurer, de s'occire, ou sur des voix d'enfants dans la brume au bord d'une falaise d'où leurs parents viennent de faire le plongeon. Et vous pouvez être certain qu'ils avaient, ces parents, des raisons solides qui ont été longuement expliquées dans les épisodes précédents.

Les seules histoires qui aient un dièse à la clé sont d'inénarrables niaiseries sur de petits infirmes qui raflent tous les prix à l'école, ou sur de jeunes athlètes qui s'imposent une discipline terrible en vue des Jeux de Mexico, et finissent par passer la barre à deux mètres au milieu des hourras de leur école (l'école toujours).

À Sado et à Shikoku, on tombe parfois sur des gens vraiment gais. On les entend s'égosiller en répandant de la merde sur leurs petits champs vertigineux, et ils chantent même dans les chiottes. Les vieux surtout. Cela m'est une raison supplémentaire d'aimer ces deux îles, mais quand j'en dis du bien ici, les Kyotans font la petite bouche : Sado était une colonie

pénitentiaire et Shikoku n'a presque pas de
« paysages célèbres », et puis *yukai* on n'est pas
bien certain que ce soit une vertu et de plus,
c'est un peu « peuple ».

Mai 1970

Le caractère *zui* (l'un de ceux de notre temple), qui signifie « auspicieux », est lié à l'idée
des neiges éternelles et de la « terre pure » de
l'Himalaya. Dans tous les temples de Birmanie
on voit ainsi de naïves représentations des neiges éternelles. Ce même caractère est employé
en *kanji* pour la Suisse et l'associe ainsi dans
l'esprit de quelques millions de lettrés chinois
ou japonais aux notions de bonheur et de pu-
reté. Il est fort dommage qu'on n'ait pas employé ce *kanji* sur le *hikari no Ki*[1].

Un ami qui a passé trois ans en Chine et vit
à présent très heureux ici me dit que l'espace
mental qui nous sépare de la Chine est incomparablement plus facile à franchir que celui qui
nous sépare du Japon. On s'en doutait. Ce qui
fait tout le prix du Japon — souvent à nos dépens et à ceux des Japonais — c'est d'être un

1. Figuier pipal. Arbre sous lequel Bouddha entra en méditation et atteignit l'Éveil. (*N.d.E.*)

pays extrême, presque sans références extérieu-
res, un système clos, un peuple qui doit encore
aujourd'hui, malgré une immense flotte com-
merciale, la troisième économie du monde et
un niveau très élevé d'éducation et d'information, se frapper violemment le front du poing
pour se persuader qu'il ne rêve pas et que le
monde extérieur existe. Le seul proche voisin
du Japon est la Corée que les Japonais détestent et pour laquelle ils n'éprouvent que de
l'éloignement. D'après un *pool* récent, c'est même
le pays du monde pour lequel les Japonais
éprouvent le moins d'attraction. C'est donc
comme si la Corée n'existait pas et l'insularité
et l'isolement japonais sont aussi marqués
que dans le cas de, disons, l'Islande. À l'Expo
d'Osaka, des troupes de fillettes vous arrêtent,
arrêtent n'importe quel étranger, pour lui demander d'apposer avec une grosse plume feutre
sa signature sur un béret ou un chapeau tyro-
lien tout neufs que l'on salit ainsi. Juste une signature, voire un pâté ou un cacabot[1], preuve
tangible qu'on a rencontré l'étranger. On peut
aussi trouver cette forme de curiosité en Europe,
mais pas au point de salir un chapeau qu'on
vient d'acheter. Il y a d'ailleurs dans cet élan
une grande fraîcheur à laquelle le panurgisme
ne retire que peu (la plus hardie est immédiate-

1. Mot vaudois signifiant grosse tache. (*N.d.E.*)

ment suivie par une dizaine d'autres). On repense au même zèle collectif chez les premiers interlocuteurs de saint François Xavier qui, médusé par ce bon vouloir, écrivait naïvement qu'il avait rencontré au bout du monde les meilleures de toutes les ouailles « égarées dans la gentilité », alors qu'il était tombé sur un peuple que son isolement a rendu le plus curieux de nature et, malheureusement pour les jésuites, l'un des plus changeants dans sa curiosité.

Exposition de 1970

Hideo Sato est un activiste du Sekigun (le groupe radical qui a détourné sur Pyongyang un avion de Japan Airlines) déjà arrêté l'an dernier par la police en Hokkaido pour sabotage et « subversion ». Puis il s'est fait oublier ou a simplement brouillé sa trace comme il est semble-t-il facile de le faire ici et s'est engagé comme employé de mairie dans une préfecture du Centre. Vers la fin avril il s'est installé clandestinement dans l'œil droit de l'immense statue de la place des fêtes qui comporte deux visages superposés à trente et soixante-dix mètres du sol. Ainsi pouvait-il interrompre la puissante source de lumière qui sort alternativement d'un œil et de l'autre, ainsi a-t-il rendu borgne ce visage camus qui était l'un des symboles les plus vantés de l'Expo 1970. Pour accéder à cet œil, il faut grimper le long d'une tubulature épaisse comme un tronc, presque verticale et très vertigineuse. Hideo Sato bivouaquait dans l'œil avec son sac de couchage et un transistor. Est-il monté là-haut tout seul, a-t-il bénéficié de complicités ? La police le saura peut-être mais nous ne le saurons jamais. Au début, la présence de ce contestataire minuscule (on le voyait grand comme une allumette), qui laissait pendre ses jambes par-dessus la paupière inférieure, haranguait parfois la foule massée sur la place et faisait la grève de la faim, a causé une certaine sensation et plongé les organisateurs dans un embarras extrême : à cause de la difficulté de l'escalade il était risqué d'aller l'emballer de force, surtout que l'opération aurait dû se dérouler de nuit pour éviter de donner à cet exhibitionniste la publicité que justement il cherchait. On craignait aussi qu'il ne saute et n'aille faire soixante-dix mètres plus bas une éclaboussure de mauvais augure pour l'Expo. On a donc fait comme s'il n'y était pas.

Toute une longue semaine, l'étudiant a jeûné dans son œil pendant que, sous lui et sans qu'il y puisse rien faire, la portée de son geste se dénaturait complètement. Il était devenu une attraction de plus, dans une foire qui en compte bien d'autres, pour les villageois de la campagne alors très nombreux parce qu'il y avait peu de travail aux champs : une anecdote, un souvenir à ramener chez eux. Au bout de quelques jours, on a même organisé — pour relancer l'intérêt — un dialogue avec le sculpteur de la statue. L'étudiant aurait dit : « Pourquoi ne dansez-vous pas tous sur cette place ? » Le sculpteur aurait déclaré : « Chaque fois qu'une chose nouvelle apparaît (sa statue) il faut qu'elle soit salie pour être fécondée. » Propos artificieux, contraints et qui ne correspondaient sans doute pas au fond de leur pensée. Peut-être le sculpteur trouvait-il sa statue plus belle avec un homme dans l'œil. Peut-être ces deux se seraient-ils fort bien entendus, mais ils étaient « récupérés » l'un et l'autre et savaient que quoi qu'ils fassent la foire continuait sans les attendre. Le neuvième jour, l'étudiant qui avait faim et souffrait de vertiges a troqué sa reddition contre une soupe de *kayu* (riz dilué) et une conférence de presse. On a promis sans promettre et il a d'abord envoyé son sac de couchage et son transistor. Puis un policier acrobate est allé encorder le naufragé très affaibli et l'a redescendu. Peut-être a-t-il eu sa soupe. Il n'a pas eu sa conférence de presse et sa photo n'a jamais paru. On a entendu jusqu'à Kyoto le soupir de soulagement des responsables. Ça s'était une fois de plus « bien passé ». Il est très difficile de faire entendre une voix discordante dans une société où depuis vingt ans, cahin-caha, la vie matérielle s'améliore sans cesse, où le gouvernement prend un ton dévot pour dire aux administrés « ne poussez pas, ne vous plaignez pas, songez à l'intérêt national... et chacun trouvera un petit quelque chose dans ses souliers de Noël ». Cette promesse on l'entend faire un peu partout dans le monde, le plus souvent par des escrocs, mais ici, depuis vingt ans, elle a toujours été tenue.

Docteur Schloegel

Dans sa jeunesse, le docteur Schloegel a été géologue dans ces anciennes mines du Harz et du massif du Grossglockner, mines de mercure et d'argent que les Romains exploitaient déjà, dans des vallées granitiques si encaissées et profondes que le soleil n'y pénètre qu'une heure par jour et que les villageois de cet univers minéral y décorent leurs feutres à la façon tyrolienne avec des cristaux, des topazes, des blocs d'améthyste ou de grenat à la place des géraniums que l'ombre fait crever, couvrent leurs fiancées de gros cabochons en pierres fumées semi-précieuses et ouvrent leurs filons au fond de la montagne selon une intuition proprement alchimique. Elle a gardé de ces années le goût des archétypes et des mutations lentes et une pâleur de teint dont aucun soleil ne viendra plus à bout. Avec le temps, la montagne est devenue magique, les pierres philosophales et les galeries se sont mises à ressembler à la caverne de Platon. Elle a alors lâché la science appliquée pour devenir une des meilleures spécialistes de Jung et parachever son œuvre en allant étudier sur place le bouddhisme pour lequel il éprouvait une grande attirance mais qu'il n'avait guère eu le temps d'approcher.

Le docteur Schloegel a les cheveux coupés aux « Enfants d'Édouard », la taille épaisse et courte et, dans ses larges jupes de bure, une surprenante vivacité de mouvement qui la fait ressembler à ces toupies sur lesquelles un visage est parfois esquissé et que les enfants font tourner avec un fouet. C'est un physique ingrat qui ferait — s'il n'y avait le visage — penser aux kapos de l'univers concentrationnaire ou à une Ana Pauker[1] monastique ; mais comme les minéraux dans l'intimité desquels elle a si longtemps vécu, une modification intérieure transforme graduellement cette apparence. Ce faciès de bouledogue devient très beau avec le travail des années et des yeux gris chaque année plus lumineux et mobiles l'ouvrent davantage sur l'extérieur. Les cheveux grisonnent et de toute évidence c'est juste pour ce gris qu'ils avaient été faits. La voix est restée pareille : flexible,

1. Membre du parti communiste roumain et ministre. (N.d.E.)

130

litaniquement optimiste, voix qui n'a souvent parlé que pour elle-même et pour se persuader qu'il devait y avoir dans la nature des choses un aspect caché qui lui était et, plus généralement, nous était favorable.

Nous avons très bien connu le docteur Schloegel à l'époque où, dans le temple du Dai-toku ji, nous constituions, ma femme, mon fils et moi, une petite enclave profane où elle pouvait venir rire tout son saoul, boire des bières à pot renversé, prendre l'*o-furo* (le bain), soigner ses pieds rongés par l'eczéma de l'été japonais et répondre aux questions dont je l'accablais avec une dose considérable d'humour et de bonne foi. Elle étudiait alors le Rinzai zen avec le *rôshi*[*] du monastère voisin de notre temple et se soumettait à l'implacable discipline et aux humiliations systématiques qui attendent le zen-niste débutant. Les débuts n'étaient pas faciles et compliqués encore par un sexe auquel le bouddhisme, qui a toujours considéré la femme comme un des éléments les plus pernicieux de l'attachement et de la Maya, a souvent fait la part bien maigre — sauf l'exception coréenne. Dans les allées guindées et caniculaires du Dai-toku ji, nous la voyions plonger si bas pour sa-luer les moines et rester si longtemps fléchie que nous cherchions, alors qu'elle était déjà re-levée, l'objet qu'elle aurait pu laisser tomber. Dans ces courbettes — qui m'avaient alors paru complaisantes —, je sais aujourd'hui qu'il n'entrait ni exotisme suspect, ni zèle mortificatoire mais une simple et claire connaissance de la Règle du Jeu : pour tirer quelque chose d'un bonze, il faut accepter, en toute matière, d'être aussi apprenti et brimé qu'il l'a été lui-même.

En 1968, le docteur Schloegel a déménagé, passant d'une petite chambre torride et de propriétaires toujours prêts à épier ou à aider (dans les deux cas ils ont barre sur vous) à un petit appartement où elle a une très belle vue sur les montagnes de l'ouest. Dans une vie si frugale, consacrée sans partage à l'étude, ces petits changements ont une importance inimaginable : elle n'a de comptes à rendre à personne et peut jeter des bassines d'eau aux chats en rut qui la dérangent dans l'étude du *kambun**. Son « charmant » vieux *rôshi* — quand nous étions allés nous présenter à lui comme nouveaux voisins suisses, il avait en riant retourné son éventail pour signifier l'autre côté de la terre. Elle s'est retrouvée sur un pied tout à fait différent, presque à hauteur d'épaule, avec son successeur, homme austère et tranchant. Elle avait pris du galon sans s'en apercevoir. Elle continue à s'incliner fort bas et s'acquitte sans barguigner de toutes les simagrées que l'usage requiert mais lui, il faut bien qu'il tienne compte de cette femme bûcheuse, dure à elle-même, érudite, aussi mobile et patiente que l'eau et qui finira par imposer le respect aux plus grandes têtes de pioche du monastère — et Dieu sait s'il y en a. Elle en sait désormais trop pour qu'on puisse encore la traiter en nigaude, en étrangère, pour qu'on joue avec elle au chat et à la souris. Elle est heureuse. C'est un succès payé très cher, donc le prix convenable ; l'on voit ici tant d'entreprises spirituelles qui pour s'être aventurées trop loin de leurs racines naturelles tournent à l'aigre, à l'amertume, qu'on apprend à ne pas se réjouir trop vite. D'ici un an ou deux elle espère obtenir ce que le zen appelle « la transmission complète », c'est-à-dire le statut de Maître et le droit d'enseigner le zen où l'on veut, à qui l'on veut et par les moyens qui paraissent les plus propres. Cette marque de confiance totale, un seul étranger — l'Américain Novak — l'a jusqu'ici obtenue. Elle serait la deuxième, et la première femme depuis l'époque glorieuse du zen chinois des Tang.

Deuxième partie

PETIT VOYAGE
AU CAP KYOGA

Départ, décembre 1964

Pour commencer, trompé d'arrêt d'autobus, manqué le mien et attendu deux heures dans un café rempli d'ouvrières en blouses brunes venues d'une fabrique voisine. Le thermomètre « Drink Coca-Cola » marque 37 degrés. J'ai un lumbago, la tête vide, et regarde les nuques de ces filles, fraîchement passées au rasoir. Il y en a une avec laquelle je me verrais volontiers. Une chose au moins que je serais certain d'aimer : cela repose de ce point d'interrogation que la chaleur et la fatigue font peser sur tant de choses. Cela me vient bien d'aller m'aérer un peu. Si le temps se lève, je dormirai dehors ; voilà presque dix ans jour pour jour que je n'ai plus fait ça. L'avant-dernière fois, c'était à Dalbandin dans le désert du Baloutchistan, la dernière, dans un bosquet au sud de Madras.

Appris dix *kana*[*], payé et monté dans un petit autobus framboise. Dès qu'il embraie, l'humeur se lève.

Miyama

Dormir dehors, c'est vite dit : au nord de Kyoto, dans les montagnes qui séparent la ville du Nihonkaï, il n'y a pas d'autres surfaces plates que les cimetières et les rizières. Au bout d'une heure de marche j'ai tout de même trouvé un rocher au bord d'une rivière, et là, à trente kilomètres à peine d'une ville d'un million et demi d'habitants, voilà :

les rémiges d'un poulet tué par un faucon
une figue mordue qui flotte
très haut en amont, un gamin tout nu qui attrape
  des goujons
un autre, invisible, qui crie « tchi-tchi » (papa)
autrement : rainettes, salamandres, libellules
et des montagnes couvertes d'une mousse d'arbres
verts qui se gonflent contre le ciel gris.

Wachi, en lisant le guide

Ici, ce qui n'est pas classé *National treasure* est au moins *important cultural property*. Il y a aussi les *Natural treasures* et même les *living treasures* — une soixantaine d'artistes et d'artisans pensionnés par l'État, dont on peut obtenir la liste dans n'importe quel bureau de voyage. Ils n'ont oublié que le *foreign treasure* itinérant que je représente.

Il n'y a pas un peuple au monde, excepté peut-être l'Amérique, qui prenne un soin aussi sourcilleux de son propre passé. L'Amérique, parce que ce passé est bref ; le Japon, parce que comme on ne sort pas du pays, il faut tirer le maximum de ce qu'il vous offre.

Wachi, rêve

Dans le train de luxe Kodama qui monte de nuit sur Tokyo. Je traverse des voitures presque vides, bois précieux et velours bleu. Dans l'une d'elles deux matelots blonds presque nus, les épaules tatouées, sont debout, étroitement enlacés comme deux enfants terrifiés par un spectacle horrible, cependant qu'une demi-douzaine de jeunes aspirants en uniforme les entourent d'un air embarrassé. Il y a aussi là une fille aux cheveux clairs, le bout des seins tatoués en bleu qui semble partager leur gêne et me dit en allemand : « Ils seront séparés au prochain voyage... mais enfin ! ce qu'il ne faut pas voir, tout de même ! » C'est l'équipage d'un cargo qui monte sur Tokyo. M'ont demandé des adresses de boutiques pour acheter des souvenirs à leurs parents.

Wachi, ryokan[*]

Dans ces auberges également, qu'il soit dix heures du soir ou six heures du matin, on vous impose pour le repas la compagnie d'une servante amère et sans âge. Il y a souvent beaucoup à apprendre de ces femmes : des chansons, par exemple. Mais celle-ci, c'est juste une femme éreintée qui n'a dormi que quatre heures. Elle s'embête avec moi mais le café que je lui verse est fort et elle se repose les pieds. Comme si souvent lorsque la conversation languit, elle demande à voir des photos. En regardant celle de ma femme elle me dit d'une voix incrédule... « Et cette personne vous plaît vraiment... ? » J'explique que l'ayant choisie moi-même, j'ai plutôt suivi mon goût. Sans la convaincre. Elle me demande aussi ce que ça vaut, le mariage. Pour elle : les hommes, les femmes et ce qu'ils peuvent avoir à faire ensemble, tout cela ne lui dit manifestement rien qui vaille. Un enfant, oui. C'est différent, un enfant. Pas encore abîmé. Je n'ai pas de photo de mon fils, par contre j'ai celle de mon chien, un doux vieux bâtard qui ressemble un peu à ceux d'ici ; cela fait toujours passer un moment.

Dans la vallée de la Miura, les bourgs sont cossus et les gens grigous, bornés, sans élan. Quitté Wachi à l'aube, mécontent de m'être fait écorcher dans cette auberge obséquieuse. Pendant que le jour se lève, je marche entre les fermes en songeant à la supériorité des paysans sur les citadins. Où qu'on aille se promener, on finit par rencontrer cette évidence, mais ici cela saute aux yeux. Les paysans japonais n'ont qu'un rang médiocre dans la hiérarchie sociale, ce qui leur évite bien des tracas. Notamment celui de se faire une « face » et de veiller à ce que personne n'en rie. En outre, leur bonne étoile veut qu'ils aient plutôt à faire à des choses qu'à des gens. Ils sont donc plus dégourdis, d'esprit plus libre, et plus gais que leurs cousins des villes. Le contact avec « l'étranger » leur cause aussi moins de tourment, parce qu'à la campagne, ce qui vient du village voisin est déjà étranger — qu'on le soit un peu plus ne change rien à l'affaire — et qu'on a l'habitude. On le renseigne vite et bien, on s'en amuse à l'occasion, on l'invite si sa tête revient. Le paysan est en outre mieux logé que le citadin et connaît ce luxe — suprême au Japon — de l'espace. Enfin, il a le shinto, ce réseau de présences, de croyances et de fêtes, né de la vie rurale qui lui convient si bien.

En pays de riz, si des cultivateurs se réunissaient pour élaborer une religion qui leur convienne ils arriveraient à ceci : le shinto, plus quelques éléments empruntés au bouddhisme (*o-jizo*, Amida, la compassion, la paix des morts), plus une pincée d'esprit Quaker et messianique pour servir de levain aux caisses d'entraide, coopératives villageoises, communautés de travail, etc.

Le paysan japonais a exactement tout cela.

Sanctuaire sur la route d'Ayabe,
10 heures

Les crabes de la rivière engagés dans cette volée d'escalier sont morts de soif avant d'atteindre la terrasse. Leurs carcasses tapissent les marches usées et craquent sous les pieds. Au sommet : une arène pour le sumo, en terre battue, une estrade de danse, et le sanctuaire à l'ombre de fabuleux frênes pleins de cigales véhémentes. Les paysans sont aux champs. Je m'assieds au bord de l'estrade, trempé de sueur, le souffle court. Les guêpes font du surplace autour de ma tête, et il y a là cette lyrique paix campagnarde si particulière au shinto.

L'Europe a maudit la nature, puis l'a réhabilitée sans lui rendre son trouble et nous n'en sommes plus guère troublés. Le shinto s'adresse

142

à une nature encore habitée, touffue, opaque, troublante, et avec laquelle il faut composer. Mais c'est une nature que personne n'a maudite, et dans le shinto, il entre plus de reconnaissance que de peur.

En cinq minutes de marche à travers champs, j'ai vu des poules becqueter une pastèque pourrie, une vipère écrasée, une myriade de grenouilles rainettes, et j'ai les cheveux couverts de toiles d'araignées. Eh bien, je ne sais que faire de tout ce bestiaire qui conserve son opacité et son mystère, me résiste et me reste étranger. Peut-être faudrait-il, pour retrouver sa place là-dedans, une souplesse et une fraîcheur que l'Occidental a perdues. Ou alors un La Fontaine ou un Ésope pour apprêter cette nature à notre façon ; nous avons « moralisé » les animaux pour en venir à bout.

Lorsque le sentiment de la nature est différent, bien d'autres différences s'expliquent.

Au Japon, par exemple, le monde de l'enfance et celui des insectes vivent en harmonie complète. À la première leçon de son abécédaire, Thomas apprend les noms de la luciole, du cafard, de la cigale, du criquet, du grillon, de la mante religieuse, du papillon, du scarabée. Le « grand coléoptère corné », sorte de projectile furibond et plus gros que le pouce, des fillettes de trois ans vous l'attrapent dextrement, le mettent dans une petite cage avec une feuille de salade, et s'en amusent pendant une semaine. On met semblablement en cage, pendant la saison chaude, toutes sortes d'insectes dont le chant « rafraîchit » et passe pour protéger les enfants de la bourbouille.

En fait d'animaux domestiques, nous connaissons surtout le chien, le chat, le canari, quelques rebelles et excommuniés vont... vont jusqu'au guépard et la grenouille. Le « règlement des chemins de fer nippons » étend encore cette qualité aux poulets et petits oiseaux, insectes (la liste est longue), poissons, écrevisses et coquillages (dans un peu d'eau), etc., qui peuvent être considérés comme bagage à main. Les pigeons voyageurs, tortues, crapauds-buffles de la taille d'une soucoupe et iguanes ne sont pas acceptés dans les trains express.

On ne peut pas dire que les épouvantails d'Europe soient une réussite. Les étourneaux s'y accoutument sans peine ; les corbeaux se perchent dessus, ne comprenant pas même que c'est à eux qu'on s'adresse.

Il y a de très beaux épouvantails au Japon. Certains sont d'ingénieuses petites orgues hydrauliques en bambou qu'un filet d'eau fait ronfler et sangloter. D'autres sont de larges tambours de toile blanche, portant l'esquisse d'un visage et pivotant sur deux cordelettes tendues en travers des rizières. Au moindre souffle, cette large face désolée bascule et vous menace. D'autres encore sont de grands fous colorés, titubant les bras en croix au-dessus des épis. Véritables cauchemars pour oiseaux, inventés par des gens qui les connaissent parfaitement.

Route d'Ayabe, 12 heures

Je ne fais pas signe aux voitures mais il m'arrive de monter dans celles qui s'arrêtent d'elles-mêmes. Des gens du peuple, toujours. Ceux qui ont de l'instruction sont trop timides ou trop pressés.

C'est un coupeur de bambou qui rentre chez lui, à Miyazu sur la mer du Japon, avec sa camionnette vide. Elle n'est pas mal, sa camionnette, et j'ai dans l'idée d'acheter une voiture d'occasion. Je lui demande le prix du modèle, s'il en est content ? Tenue de route ? Solide ? Si ça mange de l'huile… ?

« Mange de l'huile ? » Il me regarde et fait non de la tête.

À Miyazu, il m'a conduit dans sa famille : une femme, quatre gosses, une grand-mère aux arrêts irrévocables. Un vieillard parcheminé qui se brossait les dents au fond d'une courette s'est incliné, l'écume aux lèvres. Le camionneur leur a dit : « C'est un Suisse qui se promène, il est bien… mais je ne sais pas pourquoi il s'imagine que moi, je mange de l'huile. »

On m'a offert un verre de lait et donné un éventail. Je suis aussitôt allé acheter un jouet pour le fils — une voiture de pompier. Les femmes ont soupesé le paquet sans l'ouvrir en s'écriant : « *Kino doku* », merci (quel sentiment empoisonné ! sous-entendu : toute cette reconnaissance qu'on vous doit), sur quoi la grand-mère est sortie et m'a rapporté des cigarettes pour les deux tiers de la valeur de mon cadeau. C'est l'usage. On m'a redonné du lait, en bonus. Ensuite, cela s'est calmé et j'ai regardé les albums de photos de famille pendant que la femme m'éventait. Le circuit habituel : Nara, un repas au saké dans un hôtel d'Atami, en rang devant le Nijo Palace à Kyoto, dans des escarpolettes sur le toit du magasin Daimaru. J'ai peine à reconnaître mes hôtes, à cause d'un frère aîné qui s'arrange toujours à se mettre devant. Ici et là, dans une photo de groupe, un visage découpé au rasoir laisse un carré blanc qui tire l'œil.

« Il est mort... elle est morte, me dit-on, alors on l'a enlevé. »

Je ne me lasse pas de regarder ces albums qui m'expliquent un peu le pays. Toujours, il en monte un puissant parfum d'austérité et de sacrifice. Les Japonais ont hérité d'un système dont le moteur est le sacrifice. On se sacrifie sans cesse et le système fonctionne bien. Le sacrifice est une « ressource naturelle » du pays, que les hommes d'affaires étrangers, sous peine de mauvaises surprises, ont intérêt à ne pas oublier dans leurs calculs. L'un d'eux m'a dit l'autre jour avec amertume : « Une chose vraiment que je ne comprends pas : ils sont tellement imbéciles et ils arrivent à nous enfoncer... »

À midi, j'ai laissé le camionneur et sa famille à leur repas. J'ai appris à savoir à quel moment exactement m'en aller. Ils m'ont accompagné jusqu'à la porte et fait cadeau d'une petite serviette pour m'essuyer le visage car, quelles que soient les circonstances, il n'est pas convenable d'avoir la figure luisante. On n'a pas vu d'été aussi chaud depuis quatre-vingt-cinq ans.

Route de Hyoki

Les chats de ferme me dévisagent. Je vois leurs prunelles jaunes se rétrécir... puis s'élargir démesurément : « *Gaijin* de m... » et, si paresseux et si bien installés qu'ils puissent être : « Sauve qui peut ! »

Il n'est pas vrai que le Japon soit surpeuplé : marchez un peu ! vous trouverez quantité d'endroits où il n'y a personne, et pas même de paysage. Le ciel et la mer du même gris égal, et le cap Kyoga : un tas de terre et de roc dans une attente de pluie. En contrebas du chemin, une grève étroite où les belles lanternes flottantes du « Jour des morts », amenées par la mer, pourrissent dans le sable. J'ai voulu approcher, à la première enjambée la plage m'a sucé jusqu'à la cuisse. J'ai dû m'accrocher au mur de soutènement et tirer sur cette jambe comme si elle ne m'appartenait plus. Le long de la route de terre qui mène à Hyoki poussent des touffes de lavande empoussiérées qui m'ont remis en tête « l'automne est morte, souviens-t'en ». Il pleut maintenant. Les villages sont entre la mer et la route, et des hommes torse nu qui sont sans doute des lecteurs de Katherine Mansfield et Tchekhov — dans l'encadrement de leurs portes, je les vois grands comme une épingle — m'adressent à travers la pluie des signes que je ne comprends pas.

Hyoki

Nagé dix brasses et les méduses m'ont fait faire demi-tour. Il y avait sur cette plage tout un bureau venu d'Osaka, qui s'apprêtait à se baigner. J'ai dit : « Attention aux méduses », mais ils ne m'ont pas cru — j'avais pourtant le corps zébré de marques rouges. Et puis leur chef était dans l'eau jusqu'aux épaules alors ils y sont tous allés, et sont revenus en criant, et « passe-moi la pommade... ». Ensuite, ils voulaient tous que je passe la nuit dans leur auberge, m'ont expliqué les prix, m'ont présenté à la femme qui leur loue cette grande chambre. Mais dormir à vingt dans cette pièce sombre, avec le dos qui boursoufle et qui cuit, et « créer l'ambiance » ! Ils voulaient tous, et moi, pas bien certain de vouloir ; quand c'est ainsi, quitte à tomber sur pire encore, il faut toujours aller plus loin. Ils m'ont accompagné jusqu'à la sortie du village et je suis monté dans cet autobus qui emmène chaque soir vers l'extrémité du cap sa cargaison de dormeurs, une ombrelle serrée entre les genoux.

Inechô

Un tort peut-être dans mon attitude : les gens viennent à moi — c'est la coutume, et aussi la curiosité —, je les accueille bien, cela dure un moment puis une sorte de lassitude se lève, le rideau tombe et je les renvoie. Plutôt, je ne les renvoie pas : ils sont encore autour de ma table et parlent, mais mentalement ils sont congédiés et je me dis : « Encore une fois, ceux-là ne sont pas pour moi. »

Ramasser ce qui est pour moi, et cela seulement. C'est peu mais c'est pour moi. Voilà pourquoi je voyage. J'ai bien fait d'ailleurs de pousser jusqu'ici : ma chambre donne sur une

baie presque fermée, sur un noir bateau immo-
bile à l'exacte verticale de la lune. Une jeune
patronne toute élastique et blanche me tient
compagnie, son bébé sur les genoux. Elle me
sert à boire et chante :

> *Hanawa kiri shima*
> *tabaco wa kokubun*
> *moete agaru wa*
> *sakurajima*

Ses yeux se ferment, elle dodeline de la tête
et son nez remue un peu. Un client venu d'une
chambre voisine s'installe aussitôt pour en
chanter une autre :

> *Mieta, mieta yô*
> *matsubaragoshimi*
> *maru ni djunidji no*
> *ho hara ha, ho ga mieta*

Puis viennent la sœur de la patronne, un
marchand de saké, et le livreur de lait qui bé-
gaie et m'apporte son cahier d'anglais pour que
je corrige sa prononciation. Plusieurs inconnus
encore, fumant du bain public, vont s'asseoir
dans les coins de façon à bien voir sans déranger.
À un moment, ils sont seize et parlent entre eux
pendant que je regarde la grande coquille posée
sur le *tokonoma**, une belle coquille luisante en

forme de vulve, qui mériterait bien qu'on lui construise un petit sanctuaire.

Dans le train de Maizuru

La propreté japonaise tient vraiment du rituel : pendant un trajet de plusieurs heures, tenir de sa main droite un mouchoir plié appliqué contre la joue droite, à quoi cela peut-il bien rimer ? C'est pourtant ce que font mes voisines. De toute façon, on reçoit des escarbilles, on transpire, il faudra se laver en rentrant. Mais voilà, ce mouchoir propre et bien plié, c'est un carré magique, ça exorcise la saleté. Et c'est aussi une protestation.

Le travail — je me connais —, c'est encore une de mes formes de bêtise. Aussi est-ce lorsque je suis épuisé, ou hors de moi que j'écris le mieux. La fatigue ou l'emportement filtrent, la fatigue ou l'amour, beaucoup plus que l'alcool ou que n'importe quelle autre drogue.

« Bon comme une grand-mère », disent les textes zen. Il est vrai qu'avec les enfants, la grand-mère est ici plus tyrannique encore que la mère dans la bonté et plus endurcie dans le sacrifice. Quand la mère n'en peut plus d'être bonne et s'effondre, la grand-mère est derrière comme un corps d'armée, prête à encaisser sans broncher et peu d'enfants viennent à bout de cet adversaire-là. Cela ne ressemble pas trop à l'affection, sujette à éclipses et accès, d'une grand-mère de chez nous. C'est institutionnel, si l'on veut. C'est la dernière obligation qui lui reste et elle a toute son expérience et beaucoup de son temps pour y faire face.

Dans les trains de campagne, on voit souvent de robustes gaillards de douze ans ronfler sur des musettes, occupant toute la banquette pendant qu'une grand-mère qui n'a pas nécessairement l'air bonne lui flatte la tête, lui essuie le visage, fait briller ses chaussures avec une patte et, si par hasard il se réveille, lui interdit de se fatiguer.

Chez nous, la tendresse passe dans les caresses, les baisers, les poignées de main, les bras qui traînent sur une épaule, certains fous rires qui établissent une puissante complicité (les amoureux japonais ont peut-être tout cela, mais la saison est brève). La tendresse, on s'en décharge par contact, comme les gymnotes. Mon fils, par exemple, quand cela déborde, je l'empoigne, le serre, l'embrasse, bien qu'il n'apprécie guère ces éclats.

Les Japonais s'inclinent beaucoup et ne s'embrassent pas. Évitent d'échanger leur regard et leur souffle, et si un geste d'abandon leur échappe, c'est autant de perdu. Toujours, un coussin d'air les sépare. Ainsi la pression monte, la dévotion ou l'affection s'accumulent sans pouvoir s'épancher, et semblablement la haine. Dans les films japonais, lorsqu'un personnage jusque-là parfaitement calme frappe ou tue, l'Occidental se demande où il est allé chercher toute cette rage. Il arrive aussi que cette accumulation mène au suicide : on éprouve trop qu'on ne pourra pas exprimer, il y aurait trop à rendre et trop à venger : disparaître est la seule issue convenable.

Entre Ayabe et Kameoka, minuit

Lune sur ce lent train de campagne qui est aussi un train de vacances plein de voyageurs chargés de piquets de tente, qui dorment debout en finissant leurs paquets de raisins secs.

La femme qui me fait face veut savoir depuis combien de temps je suis ici.

« Six mois.

— Pas fait d'amis ?

— *Madades* (pas encore). »

Mais c'est elle qui a répondu pour moi, d'un ton qui signifie : « Bien sûr, cela va de soi ! Ici, on ne se fait pas d'amis en six mois. »

Troisième partie

TOKYO,
LA PETITE CHRONIQUE

1964

Ce qui fait grande ville ici, c'est la présence du train partout et ces longues rangées de troquets et de petites boutiques et éventaires de toutes sortes collés au ballast où l'alcool tremble dans les verres et le thé dans les bols au passage des rames de la Cho Line. La foule aussi vous change des visages du Kansai où tout s'inscrit si lentement. Les Edokos — ceux au moins qui vivent la nuit — ont l'air d'avoir fait un tour un peu plus complet des enfers et de s'en être aussi mieux tiré. Les Kyotans, en dépit de leurs traditions, manières, airs connaisseurs et raffinements austères, sont un peu puceaux à côté.

Huit ans presque que je n'avais plus revu cette ville. Huit ans qu'elle a mieux supportés que moi.

On me proposait un clapier par-ci, une cabane par-là, à des lieux de chemin de fer du centre. Et le soir, devant l'hôtel Impérial dans un passage clouté, j'ai reconnu un banquier français, relation d'autrefois (j'ai vainement essayé de coucher avec sa femme). Il a eu l'air content de me revoir. J'ai parlé d'une maison. Un fort jésuite à barbe qui l'accompagnait a crié : « Il y a justement celle de Candeau (père ? jésuite ? français ?) qui est vide pour six mois, cela doit faire l'affaire, téléphonez demain », et ils sont partis dans le vent. On verra bien.

Ici les Japonais ont mis le paquet pour leurs Olympiades : marteaux pneumatiques, grues gigantesques, projecteurs balayant toute la nuit de vastes secteurs dont les habitants privés de sommeil se suicident parfois en guise de protestation, et d'immenses et fastueux bâtiments s'élèvent, aussi beaux qu'à Milan. Un fric ! un punch ! un show ! L'hôtel Impérial qui trônait autrefois a à présent l'air d'une chapelle de montagne...

Tokyo, Tokyo ! mais aujourd'hui j'y ai pèleriné sans trop de ferveur. Fatigue d'une dysenterie attrapée dans l'île d'Awaji et qui m'a bien vidé. Ces temps-ci aussi la tonalité est à la mort. J'y pense souvent. J'ai constamment mon père en tête. Il y a des périodes comme ça. Alors, une petite vodka. Je suis dans un bistrot russe bon marché, sympathique, accordéoniste excellent. À votre santé. Elle est bonne ; elle me rappelle Tabriz. Et puis, causer comme ça tranquillement, c'est toujours une fête pour moi...

... Thomas pousse et revient présentement du *yochi-en* (jardin d'enfants) avec sa sacoche. A déjeuné là-bas, sent l'oignon, dit Éliane. Comme les héros de Queneau, il a des poux qu'on bruxellise et qu'on vinaigrifie. Il est très heureux quoique assez difficile à manier. Éliane s'acclimate et s'organise de mieux en mieux, mais sa grossesse lui vaut parfois des crises et des pépins pénibles. Il faut la « rusher » à l'hôpital Kyodai où nous avons de merveilleux copains qui mobilisent qui il faut, fût-ce au milieu de la nuit, et la remettent sur pied (une crise l'autre jour, pas grave mais terriblement douloureuse), pendant que Thomas, ravi, court dans de longs corridors puant l'éther et que je vais le rechercher dans les chambres, au milieu de familles, dans les bras de parturientes inconnues. On en revient toujours chargés de nourriture. Si j'avais trente ans de moins, je nourrirais ma famille sans trop m'en faire...

(extrait d'une lettre, septembre 1964)

Rites

Lu *Enfance* de Gorki qu'Éliane ramenait de l'hôpital. Les larmes aux yeux. Cette découverte

159

à tâtons de la vie, cette sève, cette odeur de terre et aussi cette minutie de visionnaire. Boue riche et féconde qui me rappelle le Kurdistan au mois de mars, et me sert d'antidote lorsque le côté rituel du Japon ne me nourrit plus.

Le Japon rituel. Pourtant j'aime les rites et conçois leur importance : il est souhaitable que dans une large mesure, la réalité soit ordonnée avec cérémonie. C'est ainsi que l'on tient le chaos à l'écart.

Un rescrit impérial des années 700 établit que « pour la bonne marche de l'Empire il est essentiel que l'on ait constamment et partout ces deux choses : de la musique et des rites ».

Cela n'a pas changé. La musique, c'est tout ce qu'on veut, des Platters à *L'Offrande musicale* et elle n'arrête pas de rugir. Le transistor est suspendu partout, dans les chantiers, les bordels, les étals de boucherie, et ne chôme pas. Même les cireurs de chaussures travaillent, leur transistor accroché au cou. Quant aux rites, la vie tout entière en est faite. Souvent, ce n'est plus qu'un formalisme sec et odieux ; parfois — comme dans le sumo — une construction solide et qui respire.

Dans la chambre d'un malade, chacun vient s'installer, le dos bien droit, et parle en détachant les syllabes. C'est l'attitude convenable. Le médecin de quartier, si minable et déverni soit-il, est reçu avec de grands égards, et se drape dans une dignité d'officiant. Il a rarement l'air pressé, et n'ouvre la bouche que pour s'enquérir de la douleur qu'il est censé mettre en déroute. De quart d'heure en quart d'heure, il administre ses poudres ou fait ses injections. Il s'efforce d'être calmement magistral, et le respect qu'on lui témoigne ne s'adresse pas à l'homme, mais à la fonction. C'est un des éléments de l'ordre humain qu'on oppose au désordre de la maladie. Et cela marche.

On reproche parfois aux Japonais de réagir en « émotifs » à l'égard de l'étranger. Regardons-nous, nous n'avons pas plus de sang-froid dans notre attitude vis-à-vis de l'Orient en général et du Japon en particulier. On s'emballe, on mythifie le Japon — certaines niaiseries publiées autour de 1900, il faut les avoir sous les yeux pour y croire — puis, la déception venue, on « démystifie » avec d'autant plus d'aigreur qu'on croit avoir été trompé, avec l'amertume et la vacherie d'une femme insatisfaite par un amant compromettant. « Malgré ses deux grands sabres, il ne vaut pas cher au lit », etc.

D'autres encore décident d'emblée « qu'ils ne seront pas dupes » (dangereux, ça : ne pas être dupe) et, du jour où ils débarquent, mettent le pays dans la situation du prévenu : toute parole pourra être retenue contre vous. Dès lors, on ne « passe » plus rien au pays, et toutes les interprétations sont péjoratives. Ils en ont même au sourire qui, que, etc.

Ainsi le petit commerçant japonais est modérément rapace et extrêmement obligeant. Il se trouve qu'il sourit et salue pratiquement pour chaque œuf qu'il dépose dans votre panier. Par esprit subalterne ? Pas du tout. Plutôt par un désir passionné — d'autant plus que vous êtes étranger — de voir les choses « se passer bien ». Vendre des œufs, très bien, mais les vendre « avec l'ambiance », encore mieux.

« Ah mais, vous dira-t-on, justement, ce sourire, on ne sait jamais... » et d'imaginer mille sous-entendus sarcastiques et machinations tortueuses. Peut-on vraiment penser qu'un petit détaillant harassé et probablement menacé de faillite — ils le sont tous aujourd'hui — mette tant de stratagèmes et de dissimulation dans un sourire. Allons donc ! On vous sourit, bien ou mal, c'est déjà ça. Préférez-vous qu'on vous engueule comme au faubourg Montmartre ? Ou attendiez-vous qu'on vous embrasse ?

Ne nous emballons pas : c'est bien la même pénurie d'âme partout. Quelle aigreur encore chez ces étrangères lorsque, à certains détails, elles s'aperçoivent qu'elles ne sont pas encore tout à fait « de la famille » ! Il faut dire que les Japonais ont un talent pour vous le faire sentir ! On dit alors : le dialogue n'est pas possible.

Autre méfait, ce mot « dialogue ». À son frère qu'on aime, on a si peu à dire ! Par manque d'antennes, par manque d'élan. Et l'on ira au Japon, c'est-à-dire sur la lune, avec un vocabulaire insuffisant et des interlocuteurs qui sont, comme vous et moi, médiocres deux jours sur trois, et l'on voudrait que le « dialogue passe » ? Ce serait souhaitable, je ne dis pas. Comme me le confiait un ami japonais, un soir qu'il avait bu, et avant d'y retomber : « Le silence est impossible. » Mais il faut commencer par connaître et mesurer ce qui nous enchaîne au silence.

Politique

Que va devenir la politique intérieure du Japon ? Comment la crème va-t-elle prendre ? Révolution à droite, révolution à gauche ? Soka Gakkai[1] ou syndicats ? Et qui marche avec qui ? Et quels sont les objectifs finaux des forces en présence ? Même des gens qui ont vingt ans d'expérience ici ne se risquent pas à faire les augures. C'est par des constatations comme celle-ci que l'on peut mesurer combien le monde connaît et comprend encore mal le Japon, cet enfant imprévisible, dernier venu dans la famille

1. Secte bouddhiste fondée en 1930, nationaliste et socialement conservatrice, liée au parti politique Komeito.

des grandes nations civilisées. Toute l'Amérique du Sud, par exemple, enfant adultérin de l'Europe, nous la comprenons beaucoup mieux.

Au Japon, l'usage veut encore que le Premier ministre, à son arrivée en charge, tienne quelques propos confucéens et prenne, en ce qui concerne sa conduite personnelle, des engagements de bonne conduite qui rappellent les compliments de nouvel an que les gamins de chez nous récitent au pied de l'arbre. Ikeda annonça ainsi qu'il adopterait une attitude humble (*low posture*), renoncerait au golf et aux geishas et pratiquerait une politique de patience et de magnanimité. Sato a, on ne sait pour quelle raison, remplacé le mot « patience » et vient de promettre un programme d'harmonie et de magnanimité. Ces tartuferies visent à « créer l'ambiance », mais dans quel autre pays du monde, Équateur et Guatemala exceptés, un homme politique oserait-il définir son programme en termes aussi fumeux ?

Considérations inactuelles

Démystifier est une entreprise à la mode et qui me paraît absolument vaine et dénuée d'intérêt. Pour mystifier — mystifier bien — au moins faut-il avoir été un peu mystifié soi-même et posséder un peu de talent ; démystifier n'en demande aucun, et constitue un effort d'autant moins utile que les choses et les êtres ne tardent pas à se démystifier d'eux-mêmes, souvent pour nous faire apercevoir un aspect plus substantiel, plus essentiel, mais d'un accès plus difficile. Il faut accommoder sa vision, changer ses habitudes, fournir un effort — et nous y sommes peu disposés. Pendant tout le temps de l'accoutumance, on vit dans la déception et dans l'aigreur d'avoir été privé du plat dont on avait l'habitude. Il y a un décalage inévitable. Les éditeurs jouent là-dessus. L'enthousiasme ne se vendant plus, on vend du cynisme. Les deux choses sont bonnes en elles-mêmes, mais lorsqu'elles sont — comme c'est le cas — de commande, elles ne valent pas plus l'une que l'autre.

L'engouement systématique ou le dénigrement systématique sont en voyage un grand écueil car le système est fixe et le voyage mobile. Le voyage — intérieur ou extérieur — n'a pas de sens s'il n'est pas justement un chambardement constant des attitudes que l'on avait au départ. Ou un ajustement. On ne voyage pas pour confirmer un système, mais pour en trouver un meilleur, auquel on fera bien d'ailleurs de ne pas adhérer trop longtemps. Ce qui importe c'est le passage. Mon livre est celui d'un homme qui, à force de manquer de méthode (et ce n'est pas un parti pris : je cherche à être méthodique mais sans y parvenir), trouve tantôt mieux tantôt pire que tout ce à quoi ses ambitions raisonnées auraient pu le conduire. Une médiocrité désordonnée, toute trouée de fenêtres, parcourue de courants d'air : on a des chances d'en guérir. Organisée, elle vous enferme.

Il y a des esprits organisés qui font leurs valises, traversent un pays ou y séjournent puis... « font le tour de la question ». Moi ce sont plutôt les questions qui m'entourent, m'encerclent, m'assiègent et je pare les coups comme je peux.

La communication

Quelque effort qu'on puisse faire ici : la barrière du langage. Tant de choses qu'on garde sur l'estomac, d'où les aigreurs et les névroses, si fréquentes chez les étrangers comme chez les Japonais car, si l'étranger ne sait pas dire, le Japonais ne *peut* pas dire.

Je suis attablé dans un bistrot de Kanda à prétentions russes. L'orchestre, c'est trois étudiants sérieux comme des notaires, le cou serré dans leurs blouses russes bien propres. Portent même des gants blancs pour faire correct. Accordéon, balalaïka. L'étonnant c'est qu'ils jouent vraiment bien. J'ai envie de leur dire : « Bravo, c'est bon, mais nom de Dieu dépliez-

vous un peu ! Pas besoin d'être au garde-à-vous. »
Et ce genre de choses-là, celles qui m'importent,
je ne puis justement pas les dire. Sans compter
les gentillesses ou plaisanteries qu'on se senti-
rait si souvent d'adresser aux femmes. Alors on
ne dit rien, on s'engorge, tout ce trop-plein
monte comme de la bile aux yeux qui deviennent comme des soucoupes et les Japonais qui
vous entourent se demandent ce qui ne va pas.

(Pareillement les personnages des films japonais sont constamment aux prises avec des
sentiments qu'ils ne peuvent exprimer — le
protocole s'y oppose, etc. —, on voit soudain le
visage et l'expression se gonfler comme les poissons de grands fonds qui remontent, une sorte
de panique sur ces faces muettes.)

Considérations inactuelles (suite)

Tous les voyages sont ethnographiques. Votre
propre ville même, si vous l'étudiez avec la
patience, la curiosité et la méthode que les
meilleurs esprits mettent à l'étude d'une tribu
sauvage, attendez-vous à des surprises. Le quotidien n'existe pas. L'ordinaire n'existe pas.
Vous croyiez connaître la chambre ? Vous vous
apercevrez que vous ne savez pas même d'où
viennent les meubles, ni qui paie le loyer.

Ce qu'on garde pour soi, l'expérience prouve qu'on n'en fait rien. Ce qu'on épargne, on n'en fait rien. Au lieu de comprendre cela, on renâcle à donner comme à demander. Le circuit est mal foutu. Lapalissades, me direz-vous. Les philosophes chinois qui ne sont pas les derniers venus ont passé plusieurs milliers d'années à répéter inlassablement quelques vérités et évidences premières, sachant parfaitement que ce sont celles-là qu'on commence par oublier.

« Si vous ne priez pas en Inde, écrit Michaux, c'est du temps donné aux moustiques. » De même, si vous vivez au Japon sans vous laisser aller à des moments d'attendrissement que d'ailleurs le pays favorise, vous perdez votre temps. Commencez donc par donner de la tendresse, les Japonais vous la rendront toujours à leur manière et à leur heure, et soyez certain qu'il leur en coûtera plus qu'à vous. On peut aussi, quand le pays vous irrite, donner des coups de gueule et des coups de coude et obtenir par surprise, en mettant les Japonais hors d'assiette, quelques bons résultats ; mais cela ne dure pas. Et puis ce n'est pas mon approche.

Littérature

Avez-vous vu un chirurgien mécher une plaie ? Des mètres et des mètres de gaze souillée de pus avant d'arriver au sang frais. Il y a de ça dans l'écriture : une litanie qui peu à peu se débarrasse de tout ce qui n'est pas elle, un flot qui graduellement se purifie. Accepter l'incohérence et l'hémorragie pour vider son être, le pacifier et entrer dans celui des autres.

Autre moyen de salut : écrire le dossier de son propre procès. Les aveux complets. Fixer ses monstres et désigner ses juges. Kafka.

Il y a ceci encore : ce qu'on nomme, on se l'approprie. L'enfant étend ses propriétés en même temps que son vocabulaire. Le nom, c'est le pouvoir sur la chose. « *Nomen est Omen.* » Essayez, pour voir, d'acheter dans une épicerie japonaise une chose dont vous ne connaissez pas le nom ! Marcel Marceau lui-même n'y parviendrait pas.

Pareillement, en nommant un enfant, on se l'attribue, en le baptisant, on l'attribue au ciel. On donne à Dieu un moyen de le rappeler.

Mais l'écriture tient aussi de la noyade et du travail de sape. Le matin, j'ai encore la tête — disons — à la hauteur de l'herbe. J'aperçois encore un petit morceau de paysage ; ce qu'on verrait de l'intérieur d'un char d'assaut. Puis à mesure que la matinée avance, je descends dans le travail comme dans un terrier semé de racines, d'embûches et d'impossibilités de toutes sortes. Je me miniaturise, un grain de sable me fait buter, une brindille est un fardeau trop lourd. J'aménage dans le noir sans espoir d'arriver jamais à rendre ce logis confortable. Vers le soir, j'émerge rompu de mon trou de souris et m'aperçois quelquefois que le paysage a changé, que j'ai fait des lieues sous la terre et transporté des matériaux par tonnes.

Gosse, j'aimais beaucoup *L'Île mystérieuse* de Jules Verne et je comprends mieux maintenant pourquoi. Notre condition spirituelle ressemble à celle des naufragés du livre : ce dont on manque on doit le fabriquer ou le trouver soi-même. Vous aurez beau chercher chez vos meilleurs auteurs et chez les saints, cela précisément qui manque, vous ne le trouverez pas. Des encouragements, des provisions de route peut-être, mais c'est à vous de découvrir où vous allez et pourquoi.

Considérations inactuelles (suite)

Mieux je comprends ce pays, mieux je sens aussi que jamais je n'en pourrais faire ma patrie spirituelle. Car pour quelqu'un qui, comme moi, aime relier et apprendre, la culture japonaise est trop particulière, trop détachée du reste de l'Asie. C'est, à certains égards (bouddhisme, quelques conceptions esthétiques), un terminus, ce n'est pas un carrefour au sens où la Perse d'Hérodote et l'Afghanistan des diadoques l'ont été, et il n'y a pas que la géographie qui soit en cause (voyez le rôle capital de l'Irlande, presque aussi isolée, pendant le haut Moyen Âge européen).

La civilisation japonaise est une monade qui ne peut se définir que dans son langage propre, ce qui explique un peu le manque de sérieux et de compréhension véritable de la japonomanie et la zenomanie occidentale, et ce qui explique aussi l'anxiété pathétique et la gaucherie avec lesquelles le Japon d'aujourd'hui essaie de lancer des ponts solides vers le monde extérieur.

Chercher une maison
(Hommage au Gakusei Engokaï)

On m'avait bien sûr découragé d'avance mais je me disais : dans une ville de douze millions d'habitants, il y a certainement une maison pour moi, exactement faite pour moi et dans mes prix, il suffit de tomber dessus.

L'édition anglaise des grands journaux comprend une page entière de palais à louer avec domestiques et frondaisons vénérables, ou des garçonnières ultramodernes où les chiottes *western-style* se paient leur poids d'or.

Je me suis enquis des agences qui logent les étudiants. On m'en a indiqué une, la plus importante semble-t-il, derrière la gare d'Harajuku, et sans les plans que m'ont dessinés successivement un boulanger et les parturientes blêmes et échevelées d'une maternité où je suis allé m'égarer, je n'aurais pas trouvé tant l'agence est petite. C'est une cabane de la taille d'une camionnette le long du ballast de la Cho Line. Un comptoir de bois, deux téléphones et quelques registres fatigués que des étudiants de noir vêtus consultent, visages fermés. Certains sont pieds nus dans leurs soques de bois et donnent l'impression de ne rien porter sous leur lugubre uniforme à boutons de cuivre. D'autres ont le visage marqué par les ecchymoses récoltées dans les salles de judo de leurs universités. Ces fantassins examinent le franc-tireur que je suis avec un mélange de compassion et de réprobation. L'un d'eux a posé sur le comptoir un transistor qui répand dans ce décor râpé des images de luxe, de boissons frappées, de déhanchements délicieux. C'est du jazz de la Belle Époque, musique de gens heureux « malgré tout » où chacun puise de la force et dont il ne faut pas s'étonner qu'elle ait tout naturellement conquis la planète.

Dans la file d'attente, un jeune couple m'aborde. L'homme m'offre une nèfle poussiéreuse qu'il vient de peler avec un coutelas large comme la main. Le visage est marqué mais ouvert, mais gai. La femme qui s'accroche à son bras a elle aussi, sans être jolie, un air de liberté qui la distingue du reste. On devine aussitôt qu'il la traite avec plus de prévenance que les usages n'en requièrent ici et qu'elle le lui rend par mille petites attentions. Ils ont à mon égard la parfaite aisance des gens solidement épris.

« Puisque de toute façon ils ne nous trouveront rien, me dit l'homme, on ferait aussi bien d'aller voir ensemble l'exposition Dalí.

— Étudiant ?

— Non, qu'il me répond en riant, est-ce que j'en ai l'air ? »

Ils m'expliquent qu'ils se sont mis à la colle voici un mois. Cela leur réussit. S'ils se trouvent une chambre ils auront un enfant (cela me rappelle le coq disant à la poule : « Quand nous aurons plus d'argent, nous aurons un œuf »). Lui fait un peu de poterie et bricole dans différents emplois. Elle fabrique des sacs en raphia folkloriques. Dalí, très bien, mais moi, l'enfant je l'ai déjà et il faudrait vraiment que je trouve une maison. Comme la femme gratte sans cesse une marque rouge qu'elle a au coude, et voit que je m'en amuse :

« *Keshirami shite imaska ?* (les..., vous connaissez ?)

— Non.

— C'est un insecte.

— Genre moustique ?

— Plutôt genre pou, et ça gratte. »

Alors je connais. De temps en temps, l'homme aux deux téléphones m'appelle. Il aurait quelque chose pour moi : une maisonnette à deux heures d'autobus. Un jardin ? Oui, huit *tsubo*[*] environ, mais — j'entends à l'autre bout du fil un flot d'explications embarrassées — le voisin met sa vache dedans, c'est arrangé comme ça. Sur l'avant, la maison donne sur une usine d'engrais chimique.

Il se donne beaucoup de peine. Il faut aider l'étranger. Un prospectus rédigé en japanglais par sa compagnie précise que :

... We treat every person equally.

Therefore, you never need to suffer from being distinguished as a foreigner.

The dwelling is the fundamental thing as the base of our life. Therefore, most people is inclined not to like to offer the house for a foreigner, remarquably from the point of difference of custom and color.

But the narrow bias like that is very minus not only for Japanese but also for foreigners...

It's a minus bias all right,

mais chaque fois que, la conversation étant bien engagée, l'agent amène prudemment le mot *gaijin* sur le tapis, je sens à l'autre bout du fil l'interlocuteur japonais se retirer à pas feutrés, se retrancher derrière un cousin qu'il faut consulter d'abord et qui rentre rarement avant minuit, etc. L'agent — c'est un étudiant lui aussi —, que ces réticences humilient et exaspèrent et qui sait que j'en connais la raison, me dit : « C'est la femme ; elle est stupide, elle n'y comprend rien, il faudra parler au mari. »

J'incline la tête et retourne au soleil. Par-dessus le ballast, les pensionnaires de la maternité, ravies de voir que leurs explications m'ont conduit à bon port, m'adressent des signes chaleureux. Bien décidé à résoudre mon problème, l'agent dirige à présent ses recherches sur le quartier d'Asakusa, grande ruche à plaisir où l'on est bon enfant sur l'étiquette et où l'on s'effarouche moins de voir des têtes nouvelles. À cinq heures, il m'y offre trois chambres. Elles sont séparées, il en convient, mais les occupants des chambres intercalaires ne sont pas bien gênants. Des demoiselles... qui n'y font que de courts séjours. Pour compléter sa pensée, il entoure de sa main droite le pouce de sa main gauche dans un geste universellement apprécié. Les toilettes sont dans la papeterie au rez-de-chaussée, le téléphone chez un charbonnier voisin. J'aimerais bien obliger un garçon qui se donne tant de mal, mais vraiment avec une femme malade, un fils de trois ans et la nécessité d'écrire dans le calme, cette solution n'est pas satisfaisante.

Vers la fin de l'après-midi, le patron du Gaku-sei Engokaï, appelé à la rescousse, arrive au volant d'un coupé Publica flambant neuf.

« *Follow this funny little man* », me dit le téléphoniste que je soupçonne à présent d'être le rédacteur de la brochure. S'il y a une maison au bout, je suis tout prêt à suivre ; en outre cette façon si peu japonaise de présenter son patron me paraît de bon augure. Le *funny little man* est un Japonais dans la trentaine, pétillant de bon vouloir et d'intelligence. Il est déjà au fait de mes problèmes. Il va m'aider. Coincé dans le troupeau des voitures qui engorgent les abords de la gare de Shinjuku, il me parle intarissablement du gangstérisme immobilier, puis des étrangers, puis de son cœur, son cœur à lui, mais sans que je parvienne à démêler s'il est malade ou simplement affectueux. Lorsqu'il apprend que je parle français, il se répand en compliments courtois sur Napoléon. « *I like him, big man.* » Moi je ne l'aime pas trop, pour avoir envahi (ou libéré) ma ville natale, Genève, et à cause de son abominable suffisance à l'endroit des femmes. Cela console un peu de penser que Joséphine l'a si abondamment cornifié.

« Nous avons avalé trop d'Occident, nous sommes malades », me dit encore le *little man*. Je sors mon dictionnaire :

« Pas maladie, indigestion seulement, vous guérirez.

— C'est ça : indigestion... » C'est exactement ça ! son visage s'illumine, il frappe du poing sur son klaxon et, tout au plaisir d'avoir été compris, emboutit l'arrière d'un camion. On en a pour vingt minutes d'excuses, de témoignages et d'explications. Ensuite nous allons boire un jus, en nous promettant d'aller un jour faire la bringue ensemble à Asakusa.

Je n'ai pas encore vu une seule maison. J'aurais peut-être mieux fait, après tout, d'écouter mon peleur de nèfles et d'aller voir l'exposition Dalí.

Éliane

... En décembre, mon second fils est né avant terme. Je suis rentré juste à temps pour la naissance, des montagnes de l'Aichi-ken où j'étais allé me geler le cul au milieu de paysans pauvres et saouls qui exorcisaient des démons. Une semaine plus tard, hémorragie inattendue qui aurait été fatale sans la proximité de l'hôpital. On a rattrapé Éliane par les cheveux : injections de sang breton et suisse-allemand. Une nuit à se demander si le pouls allait reprendre. Un hôpital obscur. Au bout d'un long couloir désert, un arbre de Noël dont les bougies électriques s'allumaient sporadiquement, et des sœurs franciscaines bardées d'amidon, vingt ans de Mongolie ou de Chine (on en a vu mourir du monde) et d'avance pleines de fortitude et de consolations pour le pire. Possédant sur moi, en outre, la supériorité d'avoir un conjoint immortel. Au milieu de ce cirque macabre, nous avons passé la nuit de Noël, une bougie plantée dans une orange éclairant les bouteilles de sérum et l'oreiller, à faire un bilan de nos existences respectives dans un climat de gaieté très étrange. Curieux vraiment les métamorphoses d'une relation. Intéressant la lutte commune contre la solitude. Mystérieux, les ressorts de la gaieté, vertu qu'aujourd'hui je place au-dessus de toutes les autres...

Éliane est rentrée à la maison en février. Elle va bien. Le printemps est doux et troublant. Toutes sortes de fainéants qui vendent des nourritures sans goût défini passent dans notre ruelle avec des charrettes couronnées de lanternes en poussant des cris divers. Thomas parle un japonais de voyou, va journellement à l'école avec une boîte de riz et des baguettes dans son sac, et y apprend des jeux dont la complexité me déborde. Il se tabasse avec des copains de quartier qui ont la tête rasée, des décalcomanies de Superman sur leur blouson et, bien sûr, la morve au nez.

Haruko-san (l'horoscope)

On a une bonne aussi. Continuellement absorbée par une songerie de mangeaille et par
l'énumération des maux divers qui ont décimé
sa famille. C'est un domaine — la pathologie
— qu'elle possède bien et dont elle parle avec
plaisir. Vous piquez-vous l'index avec un tire-
bouchon ? Une de ses sœurs justement en est
morte. Sentez-vous le foie qui tire un peu ? Cela
ne peut qu'empirer : voyez son père, des mois de
souffrance, un ventre suturé sur toute sa lon-
gueur, une fin lamentable. Pour la veillée, les
voisins sont venus. On a mangé beaucoup : des
patates douces, des croquettes de riz que sa
sœur — une de celles qui ont été épargnées —
prépare spécialement bien, de la pieuvre. Vous
aimez la pieuvre ? C'est bon, surtout avec un
peu de raifort dessus... Elle nous tient ces propos en vidant les plats. Ses yeux s'exorbitent un
peu. Tout cela parce qu'elle est dans une quarantaine robuste et ne dort qu'avec sa cruche.
C'est embarrassant et délicat, ici, de prendre
un amant. Les portes ne ferment pas, l'imbécile
va généralement boire et s'en vanter chez le
marchand de saké du coin ; on est mal noté, le
quartier jase, etc. On trouve bien, dans les phar-
macies de Shinjuku, de jolis objets en forme
de... parfaitement ! qui relèvent d'une tradition

vénérable et sont faits pour meubler ce genre de solitude. Mais elle est trop regardante pour considérer cette dépense. Réflexion faite, elle préfère bouffer.

Moi... Après cette période si absorbante et difficile, je retravaille. Je revoyage : trains de nuit remplis de dormeurs convulsés, bateaux des lignes intérieures où les familles cassées sur le bastingage vomissent leur riz dans les embruns les plus purs, îles qui sortent de mers matinales avec de douces montagnes rondes couvertes de neige. Fatigue, exaltation, solitude, ennui, conversations toujours pareilles dans lesquelles une sorte de lassitude vous embarque. Il y a de tout au menu. De temps en temps, une photo ou une idée sort de l'œuf, plus réelle et plus belle que les journées qui passent. Parfois un moment de bonheur et de liberté absolus, assoupi dans une salle d'attente derrière une vitre givrée, ou accroupi dans les toilettes d'une ferme, dans une honnête odeur d'étable, à écouter le chant d'un verdier dans sa cage.

La chanson de la vie et l'usure de la vie.

Cérémonie du thé

J'étais en train de lire avec intérêt les bavardages érudits du père Lelong sur ce sujet, mais

180

j'ai oublié son livre dans les toilettes de l'auberge du marché d'Aikawa dans l'île de Sado. Force m'est donc de penser tout seul.

Selon l'une des traditions, la cérémonie du thé serait née dans l'esprit d'un gentilhomme de Kyoto en regardant chaque jour un mendiant, installé sous un pont de la rivière Kamo, préparer son thé dans un pot de céramique grossière auquel l'âge et la fumée donnaient de la distinction, avec les gestes mesurés d'une personne à son affaire, et le boire ensuite avec un plaisir si manifeste, que le spectateur réalisa en un éclair tout l'agrément d'un acte si simple et — pour vous éviter des périphrases inutiles — le cadeau qu'est la vie. Authentique ou non j'aime cet apologue qui prouve une fois de plus que les véritables manières s'apprennent auprès de gens parfaitement frugaux. Le gentilhomme se mit donc en tête d'inviter ses meilleurs amis autour d'un bol de thé pour recréer ce climat de bonheur rustique, de concentration possible, de connivence avec les objets. Il choisit avec soin les ustensiles indispensables, un pavillon intime et tranquille et des convives s'accordant assez bien pour que le silence soit aussi aisé à partager que la conversation. Les zennistes, qui avaient depuis longtemps fait du thé un auxiliaire de leurs veilles et avaient élevé ce breuvage à la dignité d'ingrédient spirituel, ne pouvaient manquer d'influencer cette nouvelle mode, comme ils avaient influencé toutes les formes d'activité intellectuelle ou artistique depuis l'époque Ashikaga, et ajoutèrent à cette réunion d'amis esthétisants une touche d'étiquette et de rituel — mais enfin juste ce qu'il fallait pour convenir aux Japonais qui ne pourraient respirer sans un peu de rituel (le rituel étant à leur culture ce que le *shoyu*[*] est à leur cuisine).

Mais tout cela était bien moins pédant qu'il n'y pourrait paraître aujourd'hui, car ces attitudes mentales — celles du zen — étaient dans l'air qu'on respirait, étaient naturellement vécues par beaucoup, ne faisaient pas encore l'objet d'une montagne d'exégèses, d'analyses et de codifications.

Comme on peut s'y attendre, il y eut bientôt des maîtres. Mais à en juger par les ravissants petits ermitages qu'ils s'étaient bâtis, ces *sensei* devaient encore être des gens pleins de suc et accessibles à une sorte d'humour. On bavardait pendant le rite. Si un objet venait à manquer, n'importe quel autre objet devait faire l'affaire, pourvu qu'il ne soit pas trop voyant. En outre, ils ne jouaient pas aux mystérieux et reconnaissaient simplement que la simplicité n'est pas un exercice facile. Il y avait à l'origine de tout cela une idée juste et magnifique qui pendant un temps s'incarna avec grâce. Naturellement, ce point d'équilibre et de convergence est un paysage mental et ce qu'il faut bien appeler une cérémonie ou un divertissement n'est qu'un moment historique privilégié et transitoire. Ensuite, on a les miettes, l'acte et l'idée, mais elles ne se rapportent plus exactement et dans l'interstice, les exégètes et les pédants et les raseurs s'installent et glosent et pontifient, ce qui ne manque pas de se produire rapidement et la cérémonie du thé, après avoir été un « repos du guerrier », devint un exercice de simplicité, d'ailleurs fort coûteux et aride, pour aristocrates désœuvrés, puis une performance fastidieuse vidée du contenu. Une fois que l'académisme s'en mêle, le tour de main le plus simple devient un petit capital qu'il s'agit de ne pas gaspiller et surtout de faire breveter avant qu'un concurrent ne vous le carotte pour saisir la boîte à thé à deux mains, le regard à la hauteur de l'horizon ; Machin-*sensei* est incomparable ; pour battre la poudre en mousse d'un geste vif du poignet, c'est de loin qu'on vient pour apprendre son art. Il existe aujourd'hui des académies, et des écoles rivales, et des brigues sans fin pour la succession de tel ou tel cacique. Et l'on a ses petits secrets. Tout cela s'exporte et se commercialise, comme le Baume tonique des Brahmanes ou comme l'Eau véritable du Jourdain. La fraîcheur s'est perdue en route, et quand la culture n'est plus fraîche elle empoisonne aussi sûrement qu'une moule avariée.

Pour la retrouver, peut-être faudrait-il que les spécialistes, caciques et éminences des deux écoles rivales se réconcilient pour retourner collégialement sur le pont de la Kamo et regardent un des clochards qui ont élu domicile sous sa grande arche se faire cuire un œuf avec quelques gestes simples et le gober ensuite avec un plaisir manifeste.

Ce qui étonne ici, c'est cette prétention d'apprendre ou d'enseigner le naturel, chose qui ne s'apprend pas mais qui comme ailleurs impose de la concentration. Et c'est peut-être dans la crispation, la précipitation et l'angoisse de l'activité moderne qu'il faut trouver la raison de cette japonomanie effrénée et brouillonne qui s'est emparée du monde occidental. Le dégoût de l'efficacité : Faites à loisir quelque chose de modérément agréable mais surtout de parfaitement inutile. Une nostalgie. Mais la nostalgie est un sentiment subalterne, d'où jamais rien de bon n'est sorti. C'est, si vous voulez, la bonne du désir, le désir du pauvre d'esprit.

Le Japon, quoi qu'il en ait, se prolétarise. Autrefois, le vilain, l'homme de peu, était confiné dans ses fonctions de producteur, de protégé (*kobun*), de chœur antique à la louange des riches et des puissants, et de paroissien — du dernier degré — du temple local. Il n'était

pas question qu'il apparaisse sur la scène historique ou sociale dans une autre qualité. Les
quelques jacqueries sporadiques qui ont secoué
le Japon n'y changeaient rien. Aujourd'hui, il se
montre un peu partout, fait la grève, manifeste
dans la rue, fournit l'infanterie des syndicats
comme celle des *yakuza**, constitue l'essentiel
de la clientèle des *departo**, et pousse l'audace
jusqu'à adresser aux journaux des lettres ouvertes dont le contenu fait rêver. On ne peut plus
les ignorer. Quelques pavés sont apparus dans
le « jardin de pierre », qui gâtent un peu le plaisir des raffinés. L'élite de la société la plus aris-
tocratique du monde trouve à son chambertin
un arrière-goût d'Algérie. Nostalgie d'un temps
où l'on était entre soi, qui contribue à donner
aux arts dits « traditionnels » un caractère encore plus exclusif et conservateur. La cérémonie funèbre, en septembre dernier, au Honbo[1]
du Daitoku ji de Kyoto, du grand-maître de
l'école Ura Senke (cérémonie du thé) réunissait
tout le gotha du Japon et était plus fermée
qu'un bal de débutantes à Versailles. Plusieurs
femmes de condition qui avaient été priées re-
noncèrent à s'y rendre parce qu'elles ne pouvaient faire les frais du somptueux kimono de
deuil (noir, semé du *mon** familial en blanc)
qui était de rigueur dans la circonstance. Soit

1. Appartement du supérieur. (*N.d.E.*)

dit en passant, la femme japonaise ne pourrait rien porter de plus beau ni de plus érotiquement troublant que ce simple kimono noir, sans maquillage ni bijoux.

Ces simagrées solennelles m'apparaissent comme les excréments d'un bon repas, fait avec plaisir voici plusieurs siècles. Autrefois, par exemple, le silence n'était pas du tout de rigueur.

Littérature

À ma connaissance, Proust n'est pas traduit en japonais. S'il l'est, il n'a pas eu d'influence. Peut-être existe-t-il une traduction manuscrite qui passe de main en main à l'usage exclusif de la *gentry* de Kyoto. Peut-être, me direz-vous, lorsqu'on a le *Genji monogatari* on n'a plus besoin de Proust. Mais la société Heian n'est pas une aristocratie moribonde comme celle du *Temps retrouvé*.

Ce qui a eu de l'influence, c'est Maupassant, son réalisme visionnaire, et ce monde brutal, inique, à la limite de la folie, et surtout l'écrasement des destins particuliers. Akutagawa, qui pouvait à l'occasion user de procédés littéraires d'une extrême préciosité, s'est inspiré de Maupassant, et non pas de Proust. D'autres se sont inspirés de Zola, mettant pour le coup une bonne giclée d'Algérie dans leur chambertin. Sans doute, Zola comme Maupassant sont-ils d'une langue plus facile à traduire, et peuvent se lire sans « clés ». Mais il faut voir aussi dans ce choix une réaction violente des littérateurs Meiji contre le formalisme esthétisant. Plutôt une réalité nauséabonde que cette distinction exsangue, plutôt l'anarchie que ce ballet de fantômes où personne ne s'aviserait de quitter sa place.

Pourquoi l'anarchisme au Japon n'a-t-il jamais eu ses jours de gloire ? Pourquoi surtout la révolution surréaliste — je veux dire la vraie avec les immenses cadeaux qu'elle apportait, et non les simulacres auxquels on assiste aujourd'hui — ne s'est-elle pas encore produite dans la culture japonaise ? Manque de confiance, probablement. Il faudrait rappeler aux Japonais le mot d'Yves de Chartres : « Montons sur les épaules de nos devanciers pour voir plus loin qu'eux. » Montons sur leurs épaules, et non pas asseyons-nous sur leurs genoux.

Elle serait la compréhension juste et entière d'une idée ou d'un principe essentiel, à l'origine de nature religieuse. C'est l'appréhension, voire l'application, mais ce n'est pas l'idée elle-même. L'idée est comme un cétacé de grands fonds, sorte de Moby Dick qui chemine sans trêve bien loin sous la surface de la mer. Si l'on s'obstine à la chercher et à l'attendre là où, pour la dernière fois, on l'a vue faire surface, on pourra l'attendre longtemps.

Non, il faut croire et naviguer jusqu'à ce que les deux chemins se coupent. Il faut la chercher où elle *est* et non pas où elle fut.

La culture japonaise a toujours eu ses émotifs, ses sentimentaux souvent, ses romantiques jamais. Par exemple, ce goût romantique de la solitude et des paysages sauvages, si fort en Occident, ici, seuls quelques désabusés, ermites ou initiés le partagent.

Je suis allé à Ama no hashidate sur la mer du Japon. Un des « Trois Paysages » consacrés voici plusieurs siècles par ceux qui avaient le droit d'en juger. C'est une baie coupée dans presque toute sa largeur par une étroite langue de terre plantée de petits pins rabougris. Autour de la baie, des marchands de souvenirs, des loueurs de canots à moteur, des *pachinko*, des pensions de famille. Au-dessus, dans les collines qui dominent la côte, un funiculaire, un temple médiocre et un banc-panorama d'où l'usage veut qu'on regarde le paysage en mettant la tête entre ses jambes (peut-être dans l'espoir d'y trouver ainsi quelque chose de remarquable). Il paraît que les rapport inversés du ciel et de la mer ont ainsi un effet *mezurashi* (intéressant). Je n'en sais rien, n'ayant pas fait l'expérience, que des millions de Japonais font docilement chaque année.

Quelques kilomètres au sud de ce haut lieu,

dans les terres sauvages et pauvres du cap Kyoga, vous trouverez vingt baies qui l'emportent sur celle-ci. Mais on ne va pas les voir. Jamais. L'on va ici, car c'est ici qu'on est toujours allé, et qu'on ira toujours. Et d'ailleurs, c'est bien aménagé et l'on ne risque pas de s'y trouver seul. Et là encore, l'étiquette règne. Les familles défilent à ce banc fameux et chacun regarde entre ses jambes dans l'ordre normal des préséances. Les femmes en pouffant et en tenant leur jupe parce que le vent vient d'en bas par bouffées ; quelques vieux ont du mal à prendre cette posture à cause de leur bedaine, on en rit respectueusement, on prend des photos et c'est gai. Ensuite, les *bento* s'ouvrent à l'unisson et l'on mange son riz en s'imprégnant de cette « curiosité naturelle » de cette étrange langue de terre avec ses 3 750 pins dûment inventoriés. Mais précisément, ce n'est pas du paysage ça. C'est du « jardin japonais », c'est du *curio*. Il y a ainsi au Japon une dizaine de paysages classiques. Trois du premier degré, sept du second, qu'on ne peut voir n'importe quand ni n'importe comment. Non ; la saison, les phases de la lune, l'heure entrent en considération, ce qui se conçoit d'ailleurs. Mais il demeure qu'on « prend » ces paysages selon les prescriptions, comme une médecine. On va les voir une fois par vie (rarement on y retourne) comme certains vieux parents éloignés qu'on visite une fois par an. C'est emmerdant mais on s'en acquitte, et l'album de photos est là pour prouver qu'on l'a fait.

Comme si le sentiment de la nature, si sincère et vivace au niveau du détail (les Japonais n'ont pas leur pareil pour regarder une fleur ou pour donner, par des années de patiente chirurgie, à un arbre haut comme la main l'allure d'un géant de trente mètres), s'évaporait lorsque l'échelle change, lorsqu'on passe aux ensembles.

Prières

Dès l'instant où l'on n'est pas un matérialiste avéré, c'est faire preuve d'indigence mentale et d'ineptie que de ne pas croire à la puissance des incantations et mantras. N'importe lequel d'entre nous a vu sa propre vie modifiée par des paroles qui n'étaient que mots d'hommes adressés à des hommes. Qu'il y ait de mauvaises recettes, de fausses formules, des « sésames » en toc et des bataillons de faux mages, d'escrocs, de simili-gourous ou de simples farceurs ne change rien à l'affaire. Les Indiens d'Amazonie achètent à Manaus de vieilles ampoules usées qu'ils suspendent par des ficelles pour décorer leurs paillotes. C'est joli ; mais pour l'éclairage ! Évidemment, quand le courant n'y est pas ! Et cela ne prouve rien contre l'électricité.

« Mme veuve Fontaine a dû être hospitalisée au Sei Theresia Byoin à Kamakura. Votre visite lui fera le plus grand plaisir surtout si vous lui apportez du bon pain français et du fromage » (n° 39 du *Bulletin des Français*).

Dans le train de nuit qui descend sur Osaka, un Indien fait toute la rame pour se trouver une place. D'aussi loin que je l'aperçois, je me résigne et intarissables comme je connais ces commerçants gujerati, il ne va pas manquer une si belle occasion. C'est un gaillard, dans la trentaine, qui a déjà bu une bière de trop et ne supporte probablement pas mieux la solitude que l'alcool. Je m'enfonce sans trop d'espoir dans ma lecture pendant qu'il s'installe en face de moi et me regarde comme un homme affamé, son repas. Si je le rebute comme j'en ai bien envie, j'aurai droit à des considérations moroses sur le racisme — qui n'a rien à faire ici — avec tout le wagon pris à témoin. Ou alors, il m'inondera seulement d'une réprobation humide et silencieuse. Mieux vaut s'en tirer par monosyllabes. Cela commence, comme prévu, par... « *I dont want to interfere* » accompagné d'un regard qui suggère une sorte de complicité que je n'éprouve aucunement, puis « *May I ask your nationality*...

your age… your profession… », etc., et c'est l'effet d'une simple distraction s'il ne me demande pas combien de fois je peux faire l'amour sur une nuit. Sur toute matière, il a des conseils à donner, des opinions, des théories et croyez-moi elles ne tiennent pas en deux phrases. « *I don't know what are you writing mister, but believe me, if I were a writer, I would write good books, because I know the way things are, you just can't fool me… By the way, what do you think of India ? For my part*, poursuit-il sans attendre ma réponse, *I hate my fucked country but, believe me, I love my fucked people…* » La pensée indienne a toujours été moins embarrassée que la nôtre par l'opposition des contraires. Heureusement pour moi qu'il s'endort sur cette profession de foi. Plus tard, je le retrouve à la buvette, un peu plus titubant et follement anxieux de plaire au cuisinier — qui m'a l'air d'un voyou — et aux deux jeannetons de service auxquelles il s'adresse dans un abominable argot d'Osaka (pour prouver qu'il n'est pas un bleu) et le japonais, langue d'ordinaire si propre et si poncée, devient dans sa bouche une sorte de pâte bouillante. Il est facile de voir que les trois employés japonais le considèrent comme un détritus. Je crois qu'aucun étranger dans ce pays ne souffre d'un mépris aussi général que le commerçant gujarati. Prenez un à un les qualités et les défauts du Japonais, pas un de ces traits qui ne l'oppose à l'Indien.

Retour dans mon compartiment. Les voisins s'organisent pour la nuit : couvertures posées sur les genoux pour les parties de cartes, ceintures de flanelle, pilules pour la bonne haleine, collyre dans les yeux.

Certains m'adressent quelques phrases aimables et feutrées, mais sans trop s'avancer, sachant probablement dans quelles impasses s'embourbe ce genre de conversation. Il ne faut pas prendre pour du mauvais vouloir cette réserve qui m'a souvent frappé. Elle tient à ce que les Japonais sont parfaitement conscients de la singularité et de l'homogénéité de leur système et leur culture, aussi lorsqu'ils rencontrent chez l'étranger la moindre réticence, ils se découragent aussitôt : s'il n'a pas pu avaler ça, comment accepterait-il le reste ? C'est un peu comme lorsque vous expliquez la géométrie euclidienne : si l'élève ne comprend pas les rudiments, accroché au premier théorème, vous êtes bien tenté de tirer l'échelle. Ou alors, deux leçons par jour et l'on recule devant cette corvée.

Rien ne parvient à étonner les Anglais, toujours et partout persuadés qu'ils sont les seuls à avoir résolu certains problèmes de *behaviour*. Cela admis, ils se résignent, lorsqu'ils sont à l'étranger, à prendre les choses comme elles sont. C'est donc ainsi ? Bon ! Ils s'en amusent un peu et prennent d'excellentes notes. L'absence d'imagination, une certaine indolence mentale qui interdit à l'observateur d'intervenir trop tôt, l'humour, et le thé qui les fait participer à l'Asie et les maintient dans leur placidité, tous ces éléments en font de bons voyageurs et de remarquables auteurs de récits de voyage. De plus (sauf lorsqu'une *Schwärmerei*[1] à fond pédérastique les fait s'éprendre de l'islam, des tentes bédouines et de la « Légion arabe »), ils songent plutôt à se divertir qu'à s'emballer.

Les Français, outre qu'ils « mangent mal » une fois passé la première frontière, sont en général trop pressés de faire de la littérature ou de l'esprit. Ils sont trop impatients de comprendre et cette rapidité leur nuit. Au lieu de regarder passer et repasser les idées, ils les attrapent au vol et leur tordent le cou.

Photographies

Un nouveau malfaiteur vient d'apparaître : le critique photographique. Le plus souvent c'est un jeune homme exsangue et distingué qui a lu Wölfflin, qui a peut-être fait avec son Leica et en film Kodalite un « Essai sur le poivron », ou a refait dans un esprit sérieux ce que de vieux

1. Enthousiasme excessif et souvent feint. (*N.d.E.*)

grands photographes avaient fait un dimanche, pour s'amuser. Puis faute de pouvoir devenir photographe — ce qu'il faut en faire, de mauvaises photos, avant d'en faire de bonnes ! Et quand on est esthète, on souffre trop —, il est devenu critique photographique, vire gracieusement et silencieusement sur la moquette des revues d'art, et s'entend à donner à d'autres jeunes gens, qui lui soumettent une centaine de tirages soigneusement choisis, le sentiment qu'ils ne sont « pas dans le courant » ou que leurs photos sont « voyantes », ou encore qu'ils ont trop d'idées différentes, que mieux vaudrait n'en avoir qu'une et la poncer jusqu'à ce qu'il n'en reste rien. Ils ont aussi des cartes de visite superbes sur papier *mingei* et une cohorte de jeunes suiveurs ambitieux qui brûlent de leur chiper la place. Pour choisir de bonnes photos — comme pour en faire — il faut, en plus du métier, un mélange de ruse et de naïveté, deux vertus voraces auxquelles ces petits marquis de luxe avec leur sensibilité d'antiquaire ne comprennent rien.

Décembre 1964

Comme les *sensei* de l'Ikeno-*school* auxquels je serais pourtant tenté de le reprocher, nous avons, Éliane et moi, fait du neuf avec du vieux.

195

Le garçon est né à dix heures du matin, pendant qu'au sous-sol des grands magasins Shiro-
kya, j'hésitais entre une bouteille de champagne
et une bouteille de chianti. Il avait une demi-
heure quand je l'ai vu : rouquin, petiot, la figure bleue, l'air d'avoir froid et ressemblant un
peu au portrait de Littré par Nadar. Né un bon
mois trop tôt. Raclé le fond de nos cervelles ex-
sangues pour lui trouver un nom, et décidé finalement que l'affaire ne pressait pas — l'état
civil ici vous laisse une bonne semaine, c'est-à-
dire le temps de consulter un tireur d'horoscope ou un devin. Le ciel est chargé, mais on
voit flotter le Fuji au-dessus des branches noires et griffues de la cour de l'hôpital. Déposé au
jardin d'enfants mon fils Thomas qui m'adresse
son regard bleu : « Ce bébé je vais le crever. »
Puis je vais m'installer dans la friterie coréenne
qui fait face à l'entrée de ma rue, pour trouver
un nom à cet enfant qui a déjà deux heures et
pour lequel le temps qui passe doit encore être
une sorte d'ivresse — et pour laisser à la fatigue
le temps de descendre dans les pieds, car cela
fait trente-six heures que je n'ai pas dormi.

Je suis le premier client de la journée. Derrière le comptoir de bois, deux goupils ébou-
riffés, la gueule en biais, s'affairent dans les
vapeurs et les odeurs fortes — dans la cuisine
coréenne le piment rouge sert d'excuse à tous
les méfaits — et lâchent parfois leur torchon ou

leur marmite pour laisser éclore un bâillement déchirant. Commandé du saké chaud, rempli trois verres et ai offert à boire à la santé de cet enfant qui n'a pas encore de nom. Précisé qu'il s'agit d'un garçon : une fille, ici, ne s'arrose pas. Mais ces deux mal réveillés n'ont pas du tout compris ce qu'ils venaient faire là-dedans — simplement qu'en dehors d'Éliane et des voisins je n'ai personne ici avec qui me réjouir vraiment. Le plus jeune époussette furieusement les tables en laissant son verre refroidir ; l'autre me regarde d'un air soupçonneux. Tout ce qu'on accepte, il faut un jour le rendre, et puis qu'est-ce que c'est que cet étranger couleur de muraille qui paie à boire à onze heures du matin ? Il a eu un fils ? Bon, qu'est-ce que ça change, on ne va pourtant pas s'abîmer l'estomac pour si peu. J'aurais dû me rappeler qu'en pays surpeuplé, un homme de plus ça ne se fête pas. Enfin, ces deux verres offerts tout de go enfreignent sans doute plusieurs points d'étiquette que j'ignore et que j'espère ignorer toujours. J'écris sur la première page d'un cahier d'école « Mon fils... existe depuis 10 h 12 du matin, heure du serpent, mois du sanglier, année du dragon », puis je reste la plume en l'air et moi qui n'ai jamais le mal du pays, j'imagine avec un pincement ce que la conversation aurait donné dans un bistrot de chez nous...

« C'est un garçon.

— Non... c'est gentil.

— Trois kilos, le deuxième.

— Et vot' dame elle va vous en faire encore beaucoup comme ça... Remarquez, je dis ça pour causer. »

Et on trinque. Automatisme, mots éculés, sottise, tout ce que vous voulez, mais il y a un peu de partage tout de même. On sait bien ce que c'est : personne n'écoute, et pourtant on parle. C'est un aveu d'impuissance, mais c'est aussi une litanie qui évoque et célèbre la véritable conversation qu'on voudrait tant avoir, qu'on n'a pas et qu'un jour on aura peut-être. En attendant, on se chauffe.

Il est d'ailleurs bien, cet enfant. Rit sans arrêt, en dépit d'un horoscope qui le décrit comme mélancolique. Éliane commence à s'en éprendre. Elle revient à la vie et se précipite dans les *departo*. Mais moi, maintenant, mes nerfs lâchent. Fatigue, dégoût de tout. La débandade mentale, le marasme intellectuel. Mon travail m'apparaît en pièces, en friche. Tout serait à faire et ce qui est déjà fait, bon pour allumer le feu. Ceux que j'aime sont du bon côté maintenant, et moi je me retrouve comme une vieille bonne harassée et boudeuse qui, la semaine finie, se dit en passant d'un pied sur l'autre :

« Qu'est-ce que j'allions ben faire de mon dimanche ? »

Viols

Au cinéma, dans les faits divers, les bandes dessinées, les revues à vingt yens et les nouvelles des meilleurs écrivains, bref! partout : un grand thème, le viol. Comme si ici, les hommes n'avaient pas d'autre corde à leur arc. Comme si la timidité les acculait à la violence du désespoir. Comme si plaire était au-dessous de leur dignité ou plutôt au-dessus de leurs moyens. Et les violeurs ne sont pas, comme dans la mythologie ou dans l'histoire ancienne, des demi-dieux, des guerriers accoutumés à ce qu'on en passe par leurs désirs ou des bergers que la solitude et le froid ont rendus à demi imbéciles. Non. Ce sont bien souvent des gamins qui possèdent de belles motocyclettes et s'attaquent à six à une fille parce qu'ils ont bu un coup de trop. Il y a aussi souvent des spectateurs, mais ils sont distraits très à propos par un avion qui passe ou par le spectacle — toujours si vivant — de la rue. C'est mal considéré, ici, de se mêler des affaires des autres.

Je ne crois pas connaître une autre culture où le viol tienne autant de place que dans le Japon d'aujourd'hui. Et il ne s'agit pas, comme dans l'Ancien Testament (Juges), d'humilier une ville rivale ou une minorité méprisée, ni — comme dans l'enlèvement des Sabines — de repeupler sa ville, et pas davantage de débordements de soudards laissés à eux-mêmes, car la police ici est nombreuse et efficace. Non, c'est de la violence pure, une sorte d'éclair sans gaieté, du sadisme et de la *Schadenfreude*[1] comme si les Japonais en voulaient à leurs femmes de parvenir, en dépit de toutes les précautions prises pour les en empêcher, à tirer de la vie un meilleur parti qu'eux.

Noël

Noël est ici une fameuse ribouldingue, et saint Nicolas (car il est à peine question de Jésus-Christ) le huitième dieu du bonheur. Il trône plus grand que nature dans les vitrines des *departo* parmi les cerfs en papier mâché, les nains et les flocons de neige. Dix fois par jour, à la télé, une chanteuse en robe lamée entonne *Les Anges dans nos campagnes*, cependant que la batterie du quartet qui l'accompagne se livre à d'élégants effets de poignet comme en font les batteurs des dancings chics. C'est aussi la se-

1. Plaisir ressenti au spectacle du malheur des autres. (*N.d.E.*)

maine de *Bohan* (la prévention criminelle), ancienne tartuferie instituée par le gouvernement des Tokugawa et qui s'est maintenue dans certains quartiers de Tokyo. La mairie de l'arrondissement loue à la journée des chômeurs auxquels on colle un brassard et une lanterne couverte de beaux caractères, et ils parcourent chaque nuit les venelles en frappant deux claquettes de bois et en criant : « C'est la semaine de prévention criminelle : fermez soigneusement vos portes, ne nourrissez aucun mauvais dessein, abstenez-vous des choses illicites... » et autres couplets judicieux. Cela s'explique par le penchant qu'avaient les shoguns de rappeler inlassablement leurs sujets à la vertu, et aussi parce qu'au moment des fêtes, les maisons sont remplies d'argent et d'objets neufs, leurs habitants étourdis de saké et que les voleurs sont sur la brèche. Pendant la première ronde qui a belle allure, les crieurs se voient offrir beaucoup de petits verres qu'il ne serait pas civil de refuser. Au second passage quelques heures plus tard ils sont généralement hors d'état de marcher tout seuls, n'exhortent plus que de façon sporadique et se servent plutôt de leur portevoix pour s'engueuler à bout portant. La première fois que ce manège s'est produit, au milieu de la nuit, juste sous ma fenêtre, je suis sorti pour le faire cesser. Le plus jeune des trois acolytes est complètement ivre ; les deux autres

veulent le reconduire chez lui pour ne pas trop
discréditer la « Semaine de prévention criminelle ». Il n'en veut rien savoir et voilà pourquoi
on vocifère. En guise d'excuse, le moins saoul
des trois me dit : « Nous mettons le quartier en
garde contre certaines choses mauvaises », puis
il ajoute : « Ne faites donc rien que vous puis-
siez vous reprocher ensuite. » C'est son brassard
qui lui donne tant d'aplomb mais pour moi, marié, deux enfants, cette exhortation vient bien
tard.

Considérations inactuelles

La détestation que les Japonais éprouvent
pour la mort a une dimension de plus que la
nôtre. Je dis bien la mort, et non pas les morts
qui deviennent presque aussitôt des ombres très
chères et propices. La mort est comme partout
déplorable et triste, et puis elle est aussi infecte
et sale. Rituellement impure comme la morsure
du serpent, comme la crasse. Lorsque vous vi-
sitez la maison d'un mort où tout l'appareil
funéraire — présents, couronnes, encensoirs —
est cependant si net et si artistement disposé, la
famille ne cesse de vous sourire pour s'excuser
de cette souillure qu'elle vous impose. Au retour quelqu'un de votre maison vous attend sur
le seuil pour vous arroser de sel. Sans cette as-

persion qui purifie, la mort vous colle à la peau et vous ne pouvez rien entreprendre de faste. Les minéraux compatissants, notre compère le sel et ses pouvoirs mystiques. Pour les Japonais, l'esprit est répandu partout dans le monde matériel et il est sans cesse mis à contribution. Même les plus pauvres, dans leurs jardinets de deux mètres carrés, recomposent l'univers avec des brindilles — un arbre nain, trois coquilles d'œuf, deux coquilles d'huître, un morceau de granit d'une couleur « intéressante » — comme pour se rassurer. Réunir, rassembler est une marotte et un besoin profond. On trouve ces microcosmes essaimés un peu partout dans les quartiers les plus pauvres, entre les poubelles et la lessive. Aussi détestent-ils ce qui sépare, et l'affirmation sépare. L'anxiété que suscitent nos questions les plus simples pourrait se traduire : « Vous voudriez que je tranche... mais voilà, tout se tient. »

L'Occident s'est nourri des clameurs des prophètes, grands désosseurs et pourfendeurs et exterminateurs, qui exhortaient à passer par-dessus bord tout ce qui est plus lourd que l'air ou que l'âme. Les gentils et les justes, l'ivraie et le bon grain : ce qu'on peut trouver d'invitation à trancher, à quitter, à se déprendre !

Mais l'Orient a été élevé par des sages qui harmonisent et qui rassemblent.

Les voyageurs du XVIIIe siècle avaient ceci de bien agréable qu'ils considéraient les différences de mœurs comme propres à réjouir la curiosité et à alimenter la spéculation philosophique. Aujourd'hui que le mot *goodwill* se prononce à peu près de la même façon dans toutes les langues, on n'est plus préparé à affronter ces différences, et seuls les ethnographes savent encore voyager comme il faut. Pour les autres, le *goodwill* se charge de recouvrir ces différences d'une glaçure de sucre, et chacun s'en pourlèche en s'émerveillant d'être si copain. Quand le sucre a fondu, on s'aperçoit qu'on digère mal ce qu'il y a dessous, et le désenchantement commence, et l'aigreur, et l'on brûle ce qu'on avait adoré (de si loin) et l'on démystifie.

J'ai connu autrefois plusieurs membres d'un club de farceurs berlinois, club dont les statuts commençaient par cet article : « *Einen guten Eindruck machen* » (faire une bonne impression). Tous les Japonais, lorsqu'ils ne sont pas trop fatigués, se conforment à cette règle, avec l'humour en moins.

Littérature

Les écrivains japonais sont — je l'ai déjà dit — les maîtres du froid. Un froid sans exemple dans les autres littératures. Un froid vitré, un froid qui vient en plus du désespoir. Le désespoir seul serait encore une condition assez supportable. Un effilochement impitoyablement décrit, une absence, une impuissance menant à la haine, et cette haine elle-même impuissante menant à la destruction de soi. À côté d'un écrivain comme Osamu Dazai, Kafka fait presque figure de luron. Son univers n'est pas désespéré, il est durement châtié par une autorité insaisissable, mais légitime. Dans Kafka, on est puni pour délit de prométhéisme, puni pour vagabondage mental. L'homme a offensé une Loi dont son orgueil l'empêche de situer la source, et il supporte le poids de ses erreurs. Même Beckett, son désespoir est encore plein de terre, de mottes, de boue féconde. Ramper dans la boue, voilà, pour bien des personnages de romans japonais, une situation encore enviable par la densité qu'elle présente. Au moins, on touche quelque chose, au moins on a les mains occupées. Dans Dazai, le processus morbide lui-même est abstrait. On grelotte sous le regard des autres, cependant qu'on travaille et qu'on assiste dans l'épouvante à la destruction de soi.

Son autobiographie déguisée qui s'intitule *La Déchéance d'un homme* commence par cette phrase : « J'ai vécu une vie remplie de honte. »

Matelas

L'agrément qu'il y a à dormir sur le tatami, c'est d'avoir ainsi le dos collé au sol, de faire corps avec la Terre et — quand le calme et le silence de la nuit le permettent — de sentir et de partager la vaste rotation dans laquelle elle vous entraîne. Les couvertures tirées jusqu'au menton, les mains à plat le long du corps on fend l'espace comme un boulet chauffé au rouge. On pense aux autres corps célestes, aux orbites qui s'infléchissent et qui divergent, aux attractions, aux répulsions, aux lentes figures qui se tracent à des vitesses inconcevables. Dans cette salle de bal obscure qu'est devenue la nuit, la natte, la maison, le quartier et les douze millions de dormeurs qui l'entourent pivotent avec un ensemble admirable pendant que je me pose la question de ma place à moi là-dedans, qui reste à débattre. Le sommeil vient avant la réponse.

« Mais pourquoi diable écrire cela dans un livre de voyage ? Pourquoi voyagerait-on si ce n'est pour être amené à précisément ce genre de question-là ? »

Janvier 1965

Ceux qui n'aiment pas le Japon disent à propos d'un peu tout : « C'est copié de la Chine. » Rien n'est plus faux. De toutes les choses empruntées à la Chine, il n'en est pas une seule que le Japon ait laissée intacte, n'ait transformée et japonisée au point de la rendre méconnaissable. Ce qui explique l'exaspération et aussi l'injustice des Chinois dans leurs jugements sur le pays. À d'autres égards et malgré sa dépendance géographique, le Japon est resté complètement imperméable à la culture chinoise, la cuisine chinoise par exemple n'a jamais pénétré la vie quotidienne, le canard et le cochon n'ont pas pris. Dix siècles plus tard, vis-à-vis de l'Occident : même phénomène. On a importé le rôti, mais pas la sauce, si importante. Cette énorme indigestion n'a pas le moins du monde modifié les dispositions du patient et ce repas pantagruélique a été pris avec des baguettes.

Aujourd'hui cela n'est plus possible et le pays est obligé de changer même la sauce. Aujourd'hui le Japon veut être de tous les clubs, de toutes les fêtes. Aujourd'hui chacun s'en mêle, le BIT, l'ONU, le Fonds monétaire, la IVe Internationale. Il faut, si l'on veut rester membre actif, ouvrir sa maison à des étrangers qui viennent vérifier les comptes et regarder les livres, et ce qui apparaît alors ressemble à une sorte d'imposture, dont personne n'est responsable, sinon la méconnaissance de l'autre et l'insuffisance d'information à laquelle on a de part et d'autre consenti — car il est plus pratique d'ignorer les différences que d'en venir à bout.

Lorsqu'on commence à connaître mieux le pays et à poser des questions plus précises, on éveille ici le même genre de méfiance qu'un prétendant un peu rasta qui s'intéresserait à la dot. On vous fait traîner, on fait la sourde oreille, « Mademoiselle est sortie », « Elle est encore bien jeune, attendez quelques années », etc. Et ce sont précisément ces mêmes milieux académiques, aux cent façons feutrées de vous tenir à l'écart, qui s'agitent si fort pour promouvoir la compréhension du Japon, et crient si haut que, faute de les connaître, on interprète mal leurs intentions.

D'après ce qu'on peut en connaître, il semble bien que la psychanalyse japonaise ne vise pas à épanouir la personne, mais à l'intégrer. La grande névrose dont on va vous guérir, c'est d'être asocial. Rétabli, vous rentrez dans le rang. Il n'y a aucune promesse de santé dans la révolte, si fondée soit-elle. Peut-être ce dégoût de la solitude, cette crainte du solitaire, du franc-tireur est-elle un des traits qui montrent le mieux la jeunesse psychologique du Japon. Dans les so-

ciétés primitives, la solitude est l'affaire de spécialistes, de chamans qui se retirent pour établir
un contact avec le divin ou l'occulte. Nous nous
moquons de voir les Japonais à dix, à cent, à mille
dans la moindre de leurs entreprises — pour
boire un verre il faut être au moins trois —, mais
nous avons tort : cela ne les gêne pas. Seuls ils
n'auraient pas le même plaisir.

Shinto

Lorsqu'il s'agit de culture, les mots « jeune »
et « vieux » sont trop ambigus. Dans la mesure
où, à notre époque carolingienne, les Japonais
réunissaient dans une anthologie quelques
centaines de poèmes « dignes de passer à la
postérité », la culture japonaise est vénérable et
ancienne. Dans la mesure où le Japon conserve
une ambiance des rites, une conception de la
vie commune qui rappelle les sociétés primitives de type agricole, c'est une culture psychologiquement et mythologiquement jeune, jeune
comme l'Europe de la civilisation de Saint-Gall
et même plus jeune encore, car la fraîche Europe du haut Moyen Âge, avec ses monastères
dont la pierre n'avait pas encore noirci, ses neu-
mes, ses miniatures en « champ-fleuri », construi-
sait ses édifices avec les ruines du monde gréco-
romain, et faisait pousser ses simples sur le ter-

reau noir et amer de deux grandes civilisations qui avaient, dans une certaine mesure, terminé leur cycle.

Le shinto, qui est à la fois la tradition et la jeunesse du Japon, n'a pas encore passé par la désillusion : la voix est toujours dans le tronc cerclé d'une corde de paille, et l'esprit est toujours dans le sanctuaire. On peut dire que c'est par le bouddhisme et par la Chine que le Japon a découvert la loi de l'illusion et la dignité de la mort. Tous les bémols sont venus du dehors.

L'âge d'une culture ne doit pas se mesurer en siècles, mais en stades : rayonnement, stabilité, déclin. Au compteur Geiger, si l'on veut. Le shinto est encore comme un élément à l'état « natif » qui irradie continuellement.

Il en résulte que l'Amérique, dont la mythologie est en herbe et qui fabrique continuellement des héros, est à cet égard plus proche que nous du Japon. (Remarque : c'est stupide de comparer les cultures en termes de siècles, car le temps ne passe pas partout de la même façon.)

Pour ma part, je comprends et partage beaucoup mieux certains rites shintos que certains aspects de la société japonaise d'aujourd'hui. Ce qui prouve que, le temps passant, nous n'avons fait que nous écarter d'une origine commune. Pour se retrouver « à portée de voix » il ne s'agit pas de devenir plus international, mais il s'agit de devenir, de part et d'autre, mieux informé de nos origines et de nos mythes, en un mot mieux informé du sacré.

> *Ce qui se trouve ici me reste inconnu*
> *l'indignité et la gratitude font couler mes larmes*

dit un poème écrit au Moyen Âge par un pèlerin du temple d'Ise.

M'objecter que mon voisin Tanaka-*san* qui est comptable et lit un peu d'anglais ne croit plus guère à ces histoires-là ne m'ébranlera guère. Une croyance n'a pas besoin d'être constamment et unanimement partagée pour prendre son sens et son poids. Il suffit qu'elle soit dans l'air qu'on respire et que quelques-uns parmi ceux qu'on rencontre la ressentent vivement. On veut bien croire à la vie, et quand vit-on ?

La « poursuite du bonheur » pour laquelle toute une prose née de la Révolution française fait tant l'article, cette marchandise que les Américains exportent si volontiers, n'est pas pour les Japonais un objectif si digne d'intérêt. Ce n'est pas parce qu'ils achètent des poussettes capitonnées de soie, des caméras de précision, boivent de la bière à pots renversés qu'il faut en tirer des conclusions hâtives. Ce sont les « agréments de la vie », ça. Dès qu'il s'agit d'options plus radicales où le bonheur d'un homme est véritablement en jeu, ils hésitent et finalement renoncent. Pas nécessairement par goût du chagrin — bien qu'il en entre un peu —, mais parce qu'un homme, après tout, n'est pas si important. De tous les succès de la chanson sentimentale enregistrés ces dix dernières années, il n'y en a pas un seul qui se termine bien.

Les proverbes

« *Iwanu ga hanna* » (le silence est rempli de fleurs), ai-je dit à cette entraîneuse de dix-huit ans qui m'abreuvait de gentillesses, pour m'excuser de ma gaucherie à lui rendre la pareille. Mais mon ami Yuji m'a aussitôt engueulé : « Des proverbes, on en emploie déjà trop. Trouvez autre chose, n'importe quoi, mais pas un proverbe. » Il a raison, les proverbes sont parfaits pour ceux qui les inventent. Ils sont encore acceptables dans ces milieux campagnards où, le soir venu, on n'a plus assez d'invention ni de souffle pour se battre encore avec des mots nouveaux. Mais une fois incorporés au bavardage populaire, les proverbes deviennent des blancs de pensée, des placebos, des crottes mentales. On met dans une forme éculée ce que chacun avait déjà pensé, et sans grand risque puisque le « bon sens populaire » est là pour vous couvrir. Cela vaut pour les proverbes de la culture à laquelle on appartient. Pour les Japonais se lançant des proverbes japonais par-dessus leur bière. Mais pour moi qui suis étranger, les meilleurs des proverbes japonais me font partager par éclairs une mentalité qui n'est pas la mienne. La brièveté de la sentence, son tour finaud et sentencieux. Ce sont des flashes et le temps de ce flash, je deviens japonais.

Dans tous les autres cas, les proverbes sont au langage personnel ce que l'argent papier est à l'écu d'or fin. D'une certaine manière, le langage a été notre première monnaie d'échange. Plus il est ordinaire, purgé, exorcisé, mieux il circule. Le proverbe, là-dedans, c'est le billet de un dollar : tout le monde connaît ça, on ne vous fera pas d'ennui au guichet. Il n'y a qu'à tendre l'oreille pour s'apercevoir que les Japonais, à tous les niveaux sociaux, en font une consommation fantastique. Cela les met à l'aise, car la conversation cesse d'en être une — avec ses surprises qui ne sont pas toujours bonnes — pour devenir un échange de signes convenus. Ainsi on sait où l'on va. Encore une façon de se retrancher derrière le « on », et d'installer l'étiquette dans le langage. Il y a dans l'absurdité du zen un remède contre cette convention-là.

Le père Delubac — non, c'est le père Lelong — a fait remarquer que dans le petit Larousse, La Palice vient juste après Lao-tseu. Ce voisinage est plein de signification. En Chine, La Palice, dont la cour de France s'est si sottement gaussée, aurait été un sage. La sagesse orientale ne craint ni la répétition ni l'affirmation inlassable d'évidences qui peuvent paraître éclatantes, sachant bien qu'on ne les éprouve pas si vivement qu'on s'en flatte, qu'on néglige de repenser ce qu'on tient pour acquis et que c'est par cet oubli que nous vient tout le mal.

À la terrasse d'un café, sous le château de La Palice, au nord de Clermont-Ferrand, j'ai écrit à mon beau-père que j'aimais sa fille et voulais la lui prendre. Cela n'était pas nouveau, chacun le savait, nous l'avions dit vingt fois. Une fois de plus, et c'était la bonne.

Lorsqu'un ivrogne répète cent fois la même chose, on le prend pour une brute, mais s'il répète, c'est qu'il sent bien qu'on ne l'a pas encore entendu.

Les fantômes

Ça recommence, ça recommence. Déjà on en dessine sur le trottoir. Des fantômes tremblotés, pas plus gros que des merles et tracés par des gamins qui tiennent à peine sur leurs jambes. Mais l'influence de Walt Disney aidant, la variété d'Écosse commence à prendre le dessus.

Ces fantômes ne sont pas anonymes : toujours fils de X, descendant par les femmes du grand Y, et membre du clan Z. Sur la scène de nô en tout cas, c'est comme cela qu'ils se présentent.

Le fantôme à tête d'œuf s'appelle « Noperabô » ; le fantôme « Mittsume kôzô » a trois yeux comme son nom l'indique[1] ; le fantôme « Rokurokubi » se distingue par un cou long et flexible qui lui permet de passer la tête par les fenêtres entrouvertes pour manger la cervelle des dormeurs. Il y a encore une race d'ogresses montagnardes dont j'ai oublié le nom.

Il n'y a pratiquement pas de domaines dans lesquels la fantomanie ne se soit pas aventurée. J'ai même vu — c'est un rouleau (makémono) d'époque Edo (XVIIIᵉ) en possession d'un temple bouddhique — une armée de phallus — fantômes mis en déroute et dévorés par les fantômes de leur équivalent féminin. À vous glacer le sang. Pour l'édification des jeunes bonzes ? Pour les mettre en garde contre les périls de la fornication ? Je ne crois pas. Ce makémono a toujours été là, simplement. Et il y est encore : l'abbé en voulait trop d'argent.

Notes du carnet vert

De grosses costaudes tout en muscles, les mains comme des battoirs qui fouillent dans de

_____
1. *Mittsu* = trois. (*N.d.E.*)

minuscules porte-monnaie en velours bleu ciel à fermoir doré comme seules en auraient chez nous de jeunes communiantes, on voit ça dans les autobus. Les objets qu'on importe, les objets qui n'ont pas fait partie d'une culture, perdent leur sexe avec leur lieu d'origine. Sur une fouille de Syrie, les ouvriers arabes portaient parfois de vieilles robes de bal à fanfreluches que les courants mystérieux de la chiffonnerie en gros avaient rejetées dans les bazars du Moyen-Orient.

En pleine campagne, en pleine averse, on croise un train entier de poisson sec. Grandes bouffées de saumure et de varech qui vous rappellent que le Japon est toujours le Japon.

Quoi qu'en disent les prospectus du Japan Travel Buro, les paysans répandent toujours avec zèle le contenu des cabinets sur leurs rizières et sur leurs choux, qui sont d'ailleurs superbes. On peut penser ce qu'on veut de ce système mais il a au moins l'avantage de ne pas tuer les oiseaux.

Dans ce train — en route vers Tokyo — j'ai compris quelque chose que j'espère ne jamais oublier (je l'ai oublié et cette note me le rappelle) : il faut travailler trois fois plus et « *play it big* ».

L'ennui au Japon, c'est que le paysage ne se lance jamais et quand d'aventure il s'y risque vous avez vite fait de découvrir la camionnette rouillée, les trois feuilles de tôle abandonnées dans un champ, le détail qui vient tout foutre en l'air.

Lorsqu'on voyage au Japon, on est plus souvent Plume (le Plume d'Henri Michaux) que Phileas Fogg. La politesse des autres vous ligote, chaque démarche déclenche un engrenage de problèmes qu'on n'avait pas prévu, on se prend les pieds dans des scrupules culturels, on a vite fait, où qu'on s'installe, de devenir une plaie au flanc de tout le monde. Voyageant dans l'Inde, je traitais les gens comme des enfants (des enfants, j'attends quelque chose). Les Indiens ne s'y laissaient d'ailleurs pas prendre et seuls les imbéciles s'en formalisaient. Les autres, cela leur plaisait plutôt et leur rappelait sans doute des souvenirs agréables.

Mais ici, on se laisse prendre trop souvent dans un épineux respect culturel qui n'est finalement pas tant respect de la culture que ménagement de la stérilité de l'autre. Encore un cas où la politesse intervient là où elle n'a que faire.

Quand j'y pense, ce qu'on peut être consommateur, tout de même : toutes ces phrases admirables qu'on trouve ici et là, qu'on inscrit au charbon ou qu'on punaise à son mur pour n'en plus jamais perdre le sens, puis qu'on laisse flétrir et mourir en soi. Quel gâchis ! et qu'on ne parvienne jamais à vivre au seul niveau qui nous intéresse. À croire que c'est le sort naturel des révélations : on s'agenouille devant puis on s'assoit dessus. L'homme est tueur bien autant que *faber* ou *sapiens*. Ici, dans la plupart des cas — et ils sont nombreux — la violence naît du dépit de savoir si mal vivre.

Février

Pendant cette année difficile, je dois bien reconnaître que j'ai été un niais sentimental, que j'ai manqué de rapidité, de ressort et surtout d'irrespect. À cause d'une éclipse dans ma faculté d'imaginer et de ressentir, je me suis laissé devenir humble et l'humilité ne me réussit pas. Je me suis noyé dans la déférence, considérant toujours que les entreprises ou les raisons des autres valaient probablement mieux que les miennes. Je ne me suis pas moqué assez. Moins les Japonais s'amusent, plus il faut s'amuser pour rétablir la balance. Je me suis permis des soucis d'argent — quelle sottise ! — et n'ai pas assez fait rire ma femme. Elle avait — il faut bien le dire — des cicatrices au ventre, et rire lui faisait mal. C'est en train de s'arranger. Chaque fois que j'ai pu — fût-ce pour un instant — reprendre conscience de l'immense cocasserie de la vie, j'ai du même coup retrouvé son goût et sa beauté. L'autre nuit, dans ce train glacial bondé de fantômes qui dormaient noués dans des postures incroyables, je me suis bien amusé avec ma caméra. Aucun Japonais n'a compris que je prenais ces photos sans esprit de dérision ni de critique. Ils y ont tous obscurément senti une entreprise contre leur pays, leur patrie. Incapables de penser au-delà de cette grande idée. Leur drapeau leur bouche le ciel.

Tout au contraire, j'avais l'impression que pour s'endormir de la sorte, dans ces agencements si compliqués, il fallait une candeur et une fraîcheur que je crains d'avoir perdues depuis longtemps.

Notes du carnet vert (suite)

Contrairement à l'idée qu'on s'en fait, le Japon est un très grand pays (de Copenhague à Casablanca) qui n'a pas de grands paysages. Pour la grandeur il n'y a que la mer, encore la perd-on vite de vue à cause de la brume, ou de la buée de chaleur qui noie tout. Mais le paysage : ravissant, délicat ou inquiétant, ça n'est jamais majestueux, toujours l'air d'avoir été arrangé par un antiquaire. Souvent, il n'y a pas de paysage du tout ; juste de la terre, des maisons, le quadrillage des rizières et celui des fils électriques qui brise l'étendue et donne à l'ensemble l'aspect d'une épure mal gommée. Il est organisé, mais mal.

Rien de tel d'ailleurs pour vous prendre en faute que les pays organisés. Ici où tout l'est continuellement, on n'a pas prévu cette paille dans l'acier, cette bulle dans le verre, ce grain de sable dans la machine que vous représentez, vous, votre *Rucksack* et votre vocabulaire de mille mots. Ou si on l'a prévu, c'est dans le cadre d'une autre organisation — un bureau de voyage — dont il faut se passer si l'on désire voir quelque chose. Alors vous êtes là, un problème à vous tout seul, avant d'avoir rien demandé à personne, un problème de plus pour tout un village encore plus fatigué que vous. Il vous faudra donc, pendant la première heure au moins, poser les questions et trouver vous-même les réponses.

Trop de gens attendent tout du voyage sans s'être jamais souciés de ce que le voyage attend d'eux. Ils souhaitent que le dépaysement les guérisse d'insuffisances qui ne sont pas nationales, mais humaines, et l'ivresse des premières semaines où, tout étant nouveau, vous avez l'impression de l'être vous-même, leur donne l'impression passagère qu'ils ont été exaucés. Puis quand le moi dont ils voulaient discrètement se défaire dans la gare du départ ou dans le premier port les retrouve au détour d'un paysage étranger, ce moi morose et solitaire auquel on pensait avoir réglé son compte, ils en rendent responsable le pays où ils ont choisi de vivre.

Le voyage ne vous apprendra rien si vous ne lui laissez pas aussi le droit de vous détruire. C'est une règle vieille comme le monde. Un voyage est comme un naufrage, et ceux dont le bateau n'a pas coulé ne sauront jamais rien de la mer. Le reste, c'est du patinage ou du tourisme.

L'architecture de bois ne résiste pas à la laideur comme l'architecture de pierre. Un peu de colle, un marteau et deux clous suffisent pour y fixer une tête d'acteur, une réclame qui défigure une belle façade ou détruit la paix de toute une rue. C'est cette multiplicité de réclames criardes sur le fond si doux du chaume et du bois qui donne aux villages — même perdus — leur aspect rompu si déconcertant. Il faut marcher longtemps pour trouver une rue ou une place qui n'ait pas encore été souillée par Mickey ou Superman. Nous nous flattons de vivre à l'époque de Klee ou de Picasso, mais pour ceux qui dans mille ans nous verront avec un peu de recul, ce sera l'époque de Walt Disney.

Il ne faut pas que le snobisme culturel qui règne sur la cérémonie du thé et qui empeste les catalogues d'expositions de certains potiers célèbres fasse oublier la vitalité de ces arts, ni l'appréciation véritable qu'on peut trouver chez certains clients d'allure campagnarde, sortes de rats des champs égarés dans ces mêmes expositions d'une distinction si anémiante et qui peuvent rester dix bonnes minutes, le ventre en avant, devant un beau *tchawan**, les yeux mi-clos, la pomme d'Adam montant et descendant comme lézards au soleil.

Une journaliste japonaise, à l'occasion de l'anniversaire de l'empereur — qui ne fait plus que deux colonnes pour une pleine page avant la guerre —, raconte que cet homme digne et sympathique fut bien soulagé de ne plus être un dieu — on le comprend —, mais qu'il était « *pathetically shy* » lorsqu'il s'est agi pour lui de faire connaissance d'un peuple aux souffrances duquel il n'a jamais été indifférent.

Cette astronomie copernicienne, ces révolutions qui n'ont que vingt-quatre heures, ces journées qui en ont douze, c'est le foutoir ! Comment voulez-vous faire quelque chose sur ce rythme-là ? Et le train auquel les années passent : deux ans au Japon. Cela vous permet juste d'avoir quelques idées, sans permettre de les vérifier. D'ailleurs, le temps qu'on les vérifie, elles ont déjà changé. En outre, il y a plusieurs plans de connaissance et chacun à sa façon est juste et vaut d'être exprimé. Il ne faudrait donc pas trop s'en faire. Mais comprendre cela vous prend encore quelques années où des enfants naissent qui auront à traverser les mêmes cerceaux de papier. Comme on approuve alors ce besoin de gueuler qu'ont eu tous les prophètes, cette démangeaison de la gorge, ces vociférations même à l'oreille des sourds. Et pas d'éclectisme s'il vous plaît, ni de « sésame » ni de patte blanche. Si l'on a quelque chose à dire qui puisse résoudre ce conflit-là : la rapidité des révolutions célestes et des saisons et la lenteur de la compréhension humaine, leur optimisme comme une arche de Noé sur une mer de pessimisme, qu'on le dise ici et à tout venant.

Mars

L'autre jour dans un village de la préfecture de Chiba, nous sommes tombés sur un petit temple de la secte Hoke-kyo, une des branches nées de la prédication de Nichiren. Il faisait encore jour mais on distinguait à travers les *shoji*[*] deux lotus de bronze éclairés par des flambeaux et l'on entendait la récitation précipitée et grommelante du *Sutra de la bonne loi*. Au bout d'un instant, le bonze est sorti sur sa porte, le crâne rasé de frais, des mains de lutteur nouées sur un chapelet de buis, le regard brillant, direct et dur. Un pantalon de grosse flanelle tombait en accordéon sur ses sandales de paille, sa mâchoire inférieure presque entièrement dégarnie lui donnait l'air de baver, et l'allure était plutôt celle d'un rebouteux pas très propre mais il avait dans l'expression quelque chose d'emporté qui est rare ici et qui m'a plu. Il m'a demandé de quel pays nous venions et s'est jeté aussitôt dans son prêche : peu importe l'intellect et la doctrine, seule la compassion compte, mourant ici et renaissant là nous sommes nécessairement tous frères quel que soit le lieu d'origine, quoi qu'on en ait, on n'a pas trouvé encore le point de jonction des grandes religions mais on le trouvera, etc. — prêche dont j'ai compris l'essentiel, et que je me suis ensuite fait traduire par nos compagnons japonais que cette sortie embarrassait énormément. Tout cela venu d'une haleine en triturant son chapelet. Les sectateurs de Nichiren sont ainsi, comme leur saint patron, toujours dans le bain, toujours prêts à foncer et sabrer et mentir impunément, s'il le faut. En quoi ils se distinguent des autres Japonais qui sont si Ponce Pilate. En outre, les prémisses radicalement pessimistes sur lesquelles est fondé leur enseignement leur donnent réponse à tout. Allez leur dire que tout va de mal en pis, que les mœurs se dégradent, que la vie perd chaque jour un peu plus de son sel, etc. Ils vous répondent : « Évidemment, que voulez-vous, c'est *mappo*[1] (l'âge du fer), Bouddha l'a annoncé, ne lisez-vous donc rien ? Quoi qu'il en soit, si vous n'écoutez pas Nichiren, le grand docteur de cette grande peste, vous pouvez vous attendre à pire encore. » De ce radeau qu'ils se sont construit, ils vous regardent vous noyer. Et tous les insatisfaits se rallient, car cette doctrine explique leur insatisfaction sans les en rendre personnellement responsables.

Avril

Depuis un an et demi mes aventures sont intérieures. Je l'ai choisi comme ça ou cela a été choisi pour moi. Alors comment tirer du texte (torché, rapide et « fourmillant de faits précis » comme écrivent les critiques) de ces lents craquements souterrains, comment remonter l'eau de ce puits sans fond ? Et comment réconcilier ces vies parallèles, celle du journaliste : une ombre assez anonyme ma foi, qui court et qui sollicite et qui ne commence à comprendre les gens qu'après avoir tout écrit sur eux, et celle du Léviathan qui circule sous des hauteurs inconcevables d'eau et de nuit et fait surface quand il lui plaît. Jonas, voilà un homme que j'approuve.

1. Ère apocalyptique consécutive à l'abandon de la loi du Bouddha. (*N.d.E.*)

On ne me fera pas croire qu'il ne savait pas au-devant de quoi il allait en faisant naufrage, qu'il n'avait pas recherché et chéri cette occasion. Et lorsque, après des semaines de pérégrinations sous-marines, à partager un rythme autrement ample que le nôtre, il a été vomi tout étourdi encore sur une plage de galets blancs, il en savait sans doute plus long qu'aucun homme en vie et c'est grand dommage qu'il n'ait pas parlé. Pour moi, la baleine est ma bête tout autant que le hibou dont le cri, dans les nuits d'été, est comme le sésame de mille existences révolues et d'anciennes connaissances oubliées. Dans ce bestiaire j'ai mes rencontres, dans la rêverie qui est une démultiplication j'ai mes racines, dans une immobilité trompeuse j'ai mon pouvoir et je le sais et il me faut pourtant, préoccupé que je suis de cette croissance imperceptible, courir ici et là, coudre ensemble des anecdotes et me faire échotier pour donner du mangeable à chacun. Voilà mon problème.

Le chef d'un village de la préfecture de Chiba m'a dit l'autre jour : « Je ne fabrique plus d'épouvantails, ils ne servent à rien, les oiseaux d'aujourd'hui sont trop intelligents. » Lorsqu'on connaît ces épouvantails japonais qui sont l'imprécation faite paille, le courroux fait morceau de bois, et les malédictions les plus mortelles faites toile à sac et goudron, on se demande si ces oiseaux ne sont pas plutôt, tout comme nous, en train de s'abrutir tout doucement et de perdre tout sens des présages et des signes.

Littérature

Dans une nouvelle d'Osamu Dazai, un fils de famille, chenapan et morphinomane, écrit dans son journal : « Je me demande s'il existe une seule personne au monde qui ne soit pas dépravée... » Sa sœur, jeune divorcée modèle qui mène une vie ingrate et se dévoue pour une mère malade, lisant ce journal en cachette ajoute ce commentaire singulier : « À lire ces mots, je me suis sentie dépravée moi-même... » Peut-être par « dépravation » voulait-il au fond dire « tendresse ».

Cette nouvelle extrêmement curieuse appartient à la grande veine morbide ouverte par Akutagawa et à laquelle le cataclysme de l'après-guerre et le désarroi moral particulièrement marqué dans l'ancienne bourgeoisie ont donné tant de sang. S'humilier pour s'humaniser, déchoir pour trouver un peu de chaleur élémentaire en soi et chez les autres, dégringoler au-dessous du niveau où l'on « sauve les apparences » pour savoir s'il y a quelque chose derrière, bref, le salut par la chute, le salut personnel par la condamnation collective, une sorte de zen à rebours où la drogue remplace le thé vert, le troquet le dur silence ou les travaux du monastère, et une sorte d'anarchisme sans espoir, le grand nettoyage par le vide qui n'est que le premier temps de la méditation zen.

Un proverbe qui me concerne : *Nemimi ni mizu* (de l'eau sur une oreille qui dort).

Une phrase comme : « Ils écrivirent avec leurs sabres une page sanglante de l'histoire japonaise » devrait vous envoyer directement un homme en prison. C'est un faux billet ou un billet qui n'a pas cours. Même au fond des campagnes vous n'obtiendrez rien en échange. Autre expression, encore plus riche : « Un peintre témoin de son temps. » Comment diable pourrait-il faire autrement ! Être témoin du temps des autres ? D'un temps dans lequel il n'a pas vécu ? Cela aussi relève de la correctionnelle. Hélas quatre-vingt-dix-neuf pour cent du langage est aujourd'hui dans cet état.

Voilà pourquoi écrire m'est tellement ardu. Presque tout ce qui me vient, je le rejette : faux billets, chèques sans provision. Ou alors : bavardage inutile ou « information » superflue. Et d'ailleurs quel besoin si urgent a-t-on d'être informé ? Pour ce qu'on en fait, de l'information qu'on possède ! Mieux vaut connaître dix choses et leurs rapports que dix mille choses éparses. À force d'information l'esprit perd sa structure ; on n'a plus le temps de mettre un peu d'ordre là-dedans, ni même de savoir si l'on aime et si l'estomac supporte. Les Hittites, les femmes-girafes, la psychanalyse, les Beatles et les beatniks. Le Concile, les soucoupes volantes, la règle d'or et la libération des intellectuels en Russie. Le concours Lépine et la peinture zen. Tout ce foin qu'on trouve, quoi qu'on en ait, dans son râtelier. Il est impossible dans cet état de sollicitation perpétuelle que les contours intérieurs ne finissent pas par s'éroder ; et les opinions politiques (on a tâté pendant un temps de ce substitut) ne peuvent heureusement pas en tenir lieu. Il ne faut pas s'étonner davantage si ces gens qui savent tant de choses qu'ils n'y comprennent plus rien ont le plus grand mal à se comprendre l'un l'autre. Car, alors qu'on pouvait aisément comparer des structures différentes — il y avait au moins la notion de hiérarchie qui était commune —, deux interlocuteurs ne peuvent absolument rien faire de cette poussière d'informations qu'ils possèdent l'un et l'autre, sinon en échanger quelques miettes, comme des enfants qui jouent aux billes : celle-ci me manque, celle-là je l'ai deux fois. Cela va pour un moment, puis quand le silence commence à peser, chacun va trouver son psychanalyste pour qu'il lui explique la raison de ce mystère.

Sur de petits menus où l'on peut lire « Pine de luxe (pour *pineapple*) : 100 yens » « Pine suprême : 200 », « Café avec air-con » (pour l'air conditionné) et à cause de la fatigue, à cause de cette boulette puérile, un flot d'idées se met à couler, d'idées qui étaient restées bloquées quelque part, en quarantaine dans l'un des nombreux relais de cet organisme mal foutu, et qui maintenant montent comme les larmes montent aux yeux et vous lavent en passant. Et l'on gribouille entre les lignes et l'on recommande un second café, et l'on courbe la tête dans l'espoir que personne ne va voir ce petit moment donné, cette pépite dans votre assiette et que l'on dévore en bafouillant presque de bonheur comme un gosse affamé qui a reçu du sucre. Car c'est comme cela que les idées vous viennent. Ce n'est peut-être pas l'image que vous vous faisiez de l'écrivain. Ce n'est pas non plus celle que j'avais en tête lorsque, à vingt ans, avec la présomption, la candeur et la sottise propres à cet âge (chaque âge ayant d'ailleurs les siennes) je me suis proposé d'écrire. Je me voyais alors en architecte, sur un chantier mental, dressant des idées comme des obélisques avec un arsenal de treuils et de palans. Pauvre de moi. Ces terreurs, ces spasmes, tous ces chiens-loups qu'on trouve en soi et qu'on entend gronder avant même d'ouvrir la porte. Et on l'ouvre, le cœur entre les dents.

Je sais bien maintenant qui est mon pire ennemi.

Chaque fois que je meurs, je ressuscite un peu plus affaibli. Je me demande combien de temps encore cela pourra durer, je me demande aussi qui, quand j'aurai tout à fait disparu, renaîtra à ma place.

L'écrivain, un homme libre ? Pas avant d'avoir traversé sept enfers et digéré quelques poignées de clous. C'est plus souvent un gribouille doublé d'un intouchable. Il aime gauchement des idées qui ne le lui rendent guère. Quand il les a, c'est à la hussarde et dans les coins, comme une femme qui se refuse. Mais qu'elles le voient venir, lui, sa plume et ses pompeux projets, elles disparaissent.

Le nô, mai

J'aime énormément le nô. Il y a des jours cependant (jours d'abattement, peut-être) où l'on ne supporte pas la tristesse qui en suinte. Surtout lorsque les femmes s'en mêlent. Hier je les ai vues pour la première fois tenir le rôle du chœur dans un spectacle de l'école Kanze. Une quinzaine de commères, leurs genoux pliés comme des moignons, formidablement enracinées sur le plancher de bois poli, et vous décochant, les yeux baissés, une lente rafale de bémols et de plaintes et de grommellements. Immobiles, sauf les mâchoires plombées qui s'ouvraient en cadence pour prendre le souffle, et ayant l'air d'en savoir long sur le froid de la vie, la solitude, et l'inconsistance de tous vos projets.

Venant des femmes, cela paraît plus arbitraire, cette débauche de mélancolie. Quoi qu'on en dise, elles ont ici l'air moins vaincu que les hommes, et le plaisir qu'elles prennent à psalmodier et ruminer à l'unisson ce chagrin énorme m'a paru moins justifié et, pour tout dire, un peu vicieux. Non pas que leur vie ait toujours été facile, mais tout de même, par instinct, ruse, vivacité d'esprit et fausse insignifiance elles sont parvenues à se dérober à beaucoup des traquenards, devoirs, obligations et épines qui donnent son noir coloris à la vie japonaise. Le ressort, la gaieté véritable, serait plutôt ici l'apanage des femmes — vieilles surtout — et les voir plonger avec un tel sérieux dans les abîmes du nô me faisait un peu l'effet d'une supercherie.

Je dois avouer qu'hier soir, quand les hommes s'y sont mis, de grands rigolos eux aussi, des têtes à massacre rugissant leurs récitatifs, les doigts serrés sur l'éventail, accompagnés par deux tambourineurs aux chairs blafardes qui faisaient « yooooup » puis « glop » sur leurs petits instruments, ça ne m'a pas tellement plus séduit. J'ai pensé à la Bretagne en hiver, histoire de m'égayer un peu. C'était peut-être un mauvais spectacle, ou une de mes mauvaises journées. Éliane était bien soulagée de s'en aller, elle aussi.

Thèmes principaux du nô : la salvation, l'éveil, le songe et son pouvoir rédempteur... La lenteur, qui dans d'autres circonstances peut être si exaspérante, est alors parfaitement justifiée par l'ampleur et par le fait que ce genre d'événements ne s'expédie pas à la légère... Les personnages s'adressent les uns aux autres sans jamais se rapprocher, ou se rapprochant de cinquante-cinq centimètres alors que huit mètres les séparent. C'est sobre sans jamais être sec, baignée qu'est l'histoire dans un reflet de soies somptueuses et une sorte de mélancolie métaphysique. La scène est un parquet de bois poli comme un miroir et les personnages sont accompagnés par un reflet affaibli d'un effet merveilleux.

Septembre

Il est hors de doute que les Japonais ont souvent confondu le sadomasochisme avec le courage. Le baron Itho, encore enfant, ayant été mordu par un chien aux testicules, son père, pendant tout le temps de l'opération qui fut très douloureuse, lui tint un couteau sur la gorge en lui disant : « Un seul cri et tu y passes. » Grandeur ? Fortitude ? Âmes bien trempées, etc. ? Si ça vous amuse. Moi, je ne puis éprouver que du mépris pour un père pareil. Quand l'amour d'une idée, et surtout d'une idée aussi maigre, passe avant celui des êtres, on est vraiment mal parti. À cultiver ainsi le Spartiate en soi, on débouche tout doucement sur l'instructeur de gym qui martyrise les plus faibles de ses élèves. J'aurais été le bonze du temple voisin que je serais bien allé l'engueuler, le baron. Hélas, les bonzes s'occupent de l'autre monde, exclusivement. Vous me direz qu'Abraham a bien failli faire la même chose, mais à regret et, tout de même, il s'agissait de Dieu et pas du bon renom de papa, et ce n'est d'ailleurs pas ce qu'il a fait de mieux.

Lorsqu'on a vraiment un but, les jours ne se ressemblent pas. Il n'y a plus de quotidien, plus rien qu'une immense trajectoire tendue. Ainsi sont les saints. Et la notion même du quotidien, dans cette perspective, au lieu d'évoquer la vie machinale, n'exprime plus que la périodicité de vastes rotations qui font progresser dans une direction choisie, de la même façon que le temps cyclique des saisons se combine au temps linéaire de la vie.

Zen

Il y a dans le zen beaucoup de vues extrêmement clairvoyantes qui permettent à l'esprit de
faire le passe-muraille et de quitter la prison que
nous lui avons faite. On peut trouver ça dans
des livres et en tirer profit. On peut potasser le
tao avec un esprit absolument honnête et en tirer
profit. Peut-être pas *tout* le profit qu'on dérive-
rait d'une formation rigoureuse aux disciplines
de ces écoles, mais un allégement de l'esprit
tout de même. L'essentiel est d'ouvrir ces livres
à un moment où l'on en a vraiment besoin.

Ceux qui font le dur apprentissage et la longue carrière des moines zen en demandent évidemment davantage et parfois ils l'obtiennent.
Mais c'est trop ardu, trop long, on perd trop de
temps à changer de folklore, et le zen japonais,
au moins dans ses premiers stades, est soudé à
l'éthique et aux tics d'une société qui, pour
l'esprit occidental, est difficile à comprendre et
plus encore à accepter. Il y a beaucoup de casse
ici parmi ceux qui font du zen « pour de bon ».

Dans *Le Lotus et le Robot*, Koestler a fait une
critique féroce et drôle du mauvais zen, qui ne
prouve rien contre le bon. Daisetsu Suzuki, qu'il
avait mis à mal dans le même chapitre, lui a ré-

pondu dans une revue par une page blanche, « dérobade » qui a enragé Koestler. Mais c'était une bonne réponse, car les questions de Koestler étaient vides elles aussi. Il a tiré à blanc et a manqué la cible. Alors qu'il aurait dû parler de lui, il a demandé aux abbés du Daitoku ji une réponse à ses angoisses politiques : le sujet par excellence qui ne les intéressait pas. Le zen ne s'y est jamais intéressé, qui professe qu'il faut d'abord ouvrir soi-même les yeux avant d'ouvrir ceux des autres. Tant que cela n'est pas fait, on continue à chercher le monde où il n'est pas. Les abbés, pris de court ou alors exaspérés, ont répondu par de minces apologues, incongrus et rusés, qui sentaient un peu l'imposture et l'imitation des maîtres chinois. Cela n'a pas pris : Koestler s'est bien douté que les réponses ne valaient pas mieux que ses questions. Les abbés en avaient fait juste un peu trop, ils n'étaient pas assez zen. On n'a pas toujours non plus, même dans un temple illustre, un saint authentique à la disposition des visiteurs. Un *rôshi* de l'envergure de feu Dogen aurait eu dans sa manche de quoi pétrifier Koestler sur place, de quoi le transformer en éclat de rire ou en point d'interrogation. Tout le chapitre aurait alors pris un tour différent.

Quant à la liberté de pensée en politique, le zen s'en soucie comme d'une guigne. Une fois qu'on a compris, aucune politique et pas même la prison ne peuvent empêcher l'esprit d'être libre. Il n'y a pratiquement pas de jour où le zen ne se fasse insulter politiquement par la grande secte du Soka Gakkai. Cela dure depuis plusieurs années et, à ma connaissance, le zen n'a jamais pris la peine de répondre. Ça ne les concerne pas.

Dans *Rashomon* d'Akutagawa, un bonze, interrogé par les exempts après la découverte du cadavre, décrit correctement le visage brutal et angoissé de l'assassin. L'assassin, c'est une âme, un karma, c'est son domaine à lui. Mais lorsqu'on lui demande la couleur du cheval, il répond simplement : « À vrai dire, comme il s'agit là des choses du siècle, cette question-là n'est pas de ma compétence. »

Il ne faut pas penser avec Koestler que l'influence du zen abâtardi, disons du zen « sans la grâce », puisse être si pernicieuse qu'il l'écrit. Le zen mondain, le zen truqué, le zen *up to date* n'ont pas d'influence réelle, ce n'est qu'un maniérisme, un divertissement comme un autre et qu'on échangera contre un autre quand la mode l'exigera. Tout à fait inoffensif et désamorcé. Le bon zen au contraire fait des caractères extrêmement bien trempés, dont la sagesse transpire et dont l'exemple en impose, qu'ils s'en préoccupent ou non.

Quant à l'engouement un peu hâtif et glouton que l'Occident en éprouve, il n'a absolument rien d'étonnant. Depuis un demi-siècle environ, toutes les formes de la pensée religieuse orientale ont eu leur heure de succès. Le zen a maintenant la sienne et, en dépit du snobisme intellectuel, du fatras d'erreurs et de malentendus dont ce genre d'exportation s'accompagne immanquablement, cette curiosité est très profitable. Rien ne se transporte sans s'altérer. Il y a du coulage. C'est comme lorsqu'on distille. Croyez-vous que les jeunes filles qui lisent Balzac dans le métro de Shinjuku l'interprètent correctement ? Non. Et quand le mithraïsme a envahi la Rome des Antonins ? Des conversions sérieuses ? Non, c'était le dernier bateau, la fureur. Il en va des dieux comme des femmes : ce sont ceux qu'on n'a pas eus qui paraissent les meilleurs. Tous ces aléas n'ont aucune importance, il y a toujours quelque chose du sens originel qui passe et ce quelque chose est incorruptible. C'est la nature même du Verbe.

Les mauvais livres sur la pensée zen ne lui font pas grand mal ; ceux qui s'en contentent, c'est qu'ils n'en avaient pas vraiment besoin. Ceux qui ne s'en contentent pas trouveront facilement cent ou deux cents pages de poèmes, d'anecdotes, d'aperçus sur la nature des choses consignés par les maîtres chinois et japonais d'autrefois avec tant de force et de talent qu'on ne peut absolument pas se méprendre sur la qualité de leur compréhension. Même la traduction leur enlève à peine leur éclat. Même en feuilletant cette littérature distraitement et au hasard, on tombe à chaque instant sur des historiettes qui vous transportent, et il n'est pas indispensable d'avoir un commentateur autorisé qui lise par-dessus votre épaule. Ce qui est par contre indispensable, c'est d'avoir eu besoin précisément de ces lignes-là.

Ce qui fait un peu de tort — malgré tous ses mérites — au zen japonais d'aujourd'hui, c'est l'immense talent qui s'est manifesté pendant l'âge d'or du zen en Chine. Les anecdotes, apologues, impertinences et farces des premiers maîtres chinois ont une saveur, une envergure, un punch inégalable qui force immédiatement l'adhésion. Comment, ensuite, pourrait-on espérer faire mieux ? En comparaison, les plus grands *rôshi* japonais — et Dieu sait qu'il y en eut d'admirables et qu'ils mettaient leurs coups au but — tiennent tout juste la tête hors de l'eau. Ils ont fait presque aussi bien, mais dans le zen, le moindre soupçon d'application, de raideur, le moindre excès d'hygiène mentale démolissent tout l'édifice... et les Japonais sont, de tous les peuples, les plus hygiéniques et les plus appliqués. Aussi, avec des gaillards pareils comme devanciers, qui avaient l'énormité de la Chine, les montagnes et les immenses fleuves chinois pour théâtre à leurs tribulations, leur quête, leur féroce ambition de n'être plus coupés par rien de cette nature qui s'étendait autour d'eux aussi loin que le ciel, on est à juste titre impressionné et tenté d'imiter un peu. Cette Chine des Tang, cela devait être quelque chose ! Quand le vent de mars venait de Mongolie souffler sur les souches mortes et réchauffer des milliards d'hectares de terre, on devait s'en apercevoir un peu. Quant aux dimensions : on a retrouvé, je dis bien retrouvé, dans la province du Sichuan, une falaise sculptée d'un millier de statues bouddhiques, certaines de la taille d'un éléphant. Cette falaise fait six cents mètres de long et les chroniques chinoises d'autrefois l'ont souvent mentionnée, mais depuis deux cents ans environ, on n'avait plus remis la main dessus.

Au Japon, l'échelle est tout autre ; on entre dans une culture du détail avec une puissance de moins à l'exposant. Les trouvailles de l'esprit s'en ressentent. Ce n'est pas la faute des Japonais, c'est celle de la géographie. Michaux écrit qu'il leur a manqué un grand fleuve. Bon. Mais aussi des montagnes qui méritent vraiment ce nom et assez de paysage pour que l'esprit puisse aller s'y perdre et noyer sans retour ses fantasmes et ses terreurs. Pourtant, ici, la sauvagerie et la désolation ne manquent pas, mais sans remplacer le sentiment de l'étendue.

La police retrouve presque toujours un cadavre au Japon, et ce n'est pas ici qu'on perdrait une falaise ! Même dans une province retirée, celui qui égare un essaim d'abeilles serait sévèrement jugé.

La seule chose à avoir une ampleur véritable, c'est la mer. Mais depuis l'époque Tokugawa, on dirait que les Japonais n'aiment plus aller dessus. Un peu de gros temps et les voilà tous malades à vomir sur leurs beaux bateaux flambant neufs.

Déférence

Si vous pouvez me dire où le sérieux commence et où il finit, vous êtes alors plus fort que Mozart. Mais, ici, à Mozart, on ne laisse pas le bénéfice du doute : sérieux toujours. À cause du trop de respect qu'il inspire aux jeunes pianistes et qui efface tout autre sentiment, il devient une sorte de Czerny enjolivé. Les exécutants s'en étranglent littéralement. Mozart, ce farceur ! Tous les Japonais devraient lire les lettres folles et saugrenues dont il bombardait cette jeune et jolie sœur qu'il aimait probablement un peu trop. Mais cela ne servirait guère, car ces lettres encore, ils les liraient avec respect.

Il y a ici une sorte de respect de seconde main qui fige toute la vie culturelle. Michaux a très bien saisi cela lorsqu'il écrit cette phrase cruelle : « Peuple d'esthètes et de sergents. » Notez que je n'ai rien contre le respect qui naît spontanément de l'organisation de l'âme et qu'au Japon les choses respectables ne manquent heureusement pas. Mais la déférence-réflexe que des générations de pions ont engorgée à des générations d'élèves soumis m'inspire une véritable haine. Il suffit d'aller au Ryoan ji ou à Nikko pour voir ce que cela donne. Tous ces malheureux qui s'efforcent d'éprouver dûment les sentiments énumérés par le guide : ici du mystère, là une « impression mystique », ce tas de gravier exprime l'évanescence des choses. Ce nirvana bougon et appliqué. C'est intolérable. Après tout ce conditionnement et ce rabâchage, étonnez-vous que les gens qui osent s'avouer déçus (il y en a heureusement très peu) fassent une réaction violente. Un jeune bonze a déjà, voici quarante ans, incendié le Kinkaku ji dont on lui avait rebattu les oreilles et qu'il n'avait pas trouvé à la hauteur de son attente. Je me demande comment Nikko est encore debout. C'est si chargé comme décor qu'on n'a peut-être pas su où mettre l'allumette.

Que les politiciens soient de droite ou de gauche, ce ne sont ni Marx ni Joseph de Maistre qui inspirent leurs discours, c'est finalement toujours Confucius. « Tout en acceptant avec humilité nos échecs, n'oublions cependant pas de nous féliciter de nos succès », déclare quasiment mot pour mot le leader du parti majoritaire après les élections municipales où son bord a perdu trente sièges. Et le 1er janvier 1966, celle-ci, qui n'est pas mal non plus, dans le discours de Sato : « Étant pour la seconde année consécutive à la tête du gouvernement, je suis décidé à mener les affaires avec résolution. » Le reste du discours est sans doute plus vague encore, puisque c'est cela qu'on monte en épingle. C'est la vieille antithèse si chère aux classiques chinois, qui permet d'enfouir les mains dans ses manches sans avoir vraiment menti ni s'être prononcé sur rien. Les Topazes et les Tartuffes de la politique japonaise en font une large consommation. Aux augures et aux analystes politiques de se débrouiller. Il faut voir alors comme les spécialistes de la grande presse se mettent à disséquer cette prose sibylline pour lui trouver un sens, en travaillant surtout par omission. C'est ce qu'on n'a pas dit qui compte, car le silence est plus précis que ces déclarations dans lesquelles on laisse toujours assez de flou pour conserver les mains libres. On mesure aussi au rapporteur le très léger déplacement angulaire qui s'est produit depuis le précédent discours. On a passé d'un programme « d'harmonie et de bienveillance » à une politique « d'harmonie et d'équité ». Cela annonce probablement une politique monétaire plus serrée et moins d'indulgence pour les revendications syndicales.

1966

Premier jour de l'année du Cheval. On vend les *ema*[*] traditionnels au sanctuaire Meiji. Année qui sera bonne d'après l'astrologie populaire, pour le pays en général et pour les mâles en particulier.

Il fait beau et froid. La flamme de mon fourneau à pétrole palpite comme une petite artère. Je fais le compte de ce que l'année du Serpent (année vénusienne) m'a laissé : beaucoup d'amertume qui se distille déjà en clairvoyance, de la bonne cendre de vie qui deviendra terreau, des bouts dépareillés d'érudition, de la friperie intellectuelle (c'est-à-dire des idées chaudes et souples et faites à mes épaules comme un vieux pardessus), des espars qui flottent après un naufrage qui n'est pas le premier (mais le corail grandit sur son propre cadavre et pour construire un

244

barrage on commence par « perdre » dans le sol des milliers de tonnes de béton liquide). Et la poudrière de l'amour. Enfin le bénéfice d'être bien plus ouvert qu'autrefois aux aspects complémentaires de l'existence, au jeu des polarités, à cette vérité si simple : là où on a brûlé le pré, l'herbe pousse plus dru l'année suivante. Les échelles, comme les prisons, sont finalement faites de barreaux.

Dans un coin de ma tête, j'ai l'échelle de Jacob, cette noix dure à casser, et jamais je ne la perds de vue.

L'autre soir, passant devant la boutique des primeurs, j'ai vu une grosse femme debout au milieu des navets et des cageots de tomates, qui massait en chantonnant la nuque d'une autre commère. L'une absorbée, l'autre ronronnant littéralement sous ces pressions expertes. Ça m'avait l'air si confortable, ce petit manège, que pour les embarrasser un peu j'ai tendu mon cou en disant : « Moi aussi. » La masseuse a mis la main devant sa bouche et le rire a fusé en coin par rafales si violentes qu'elles l'ont littéralement couchée sur le côté. Elle me regardait de là en bas, la tête tournée, deux petits yeux bordés de rouge où je voyais gicler les larmes.

Les jésuites

Entre les jésuites et la Chine, ça a tout de
suite été le coup de foudre : même mépris de la
ligne droite, même talent aussi pour les pesées
à la Ponce Pilate et pour les robes à larges manches où l'on peut enfouir tant de petites choses
que l'on produit, le moment venu, pour désar-
çonner l'interlocuteur. Même orgueil aussi et
même énergie.

Au Japon, ces qualités leur ont valu dans les
débuts des succès spectaculaires, ensuite, ils
ont perdu le chemin. Même pour eux, les Japonais tournaient trop souvent, et pour des motifs
trop imprévisibles. Cela s'est terminé comme on
sait : sur la croix pour certains d'entre eux, un
épilogue qu'en maîtres diplomates qu'ils sont
ils n'avaient certes pas prévu, mais auquel ils
ont fait face avec un grand courage. (Ces procédés barbares, pas pour nous en tout cas, on
trouvera toujours un biais : voilà ce qu'ils avaient
dû se dire.) Pendant tout l'interlude Tokugawa,
la Compagnie a dû ruminer cet échec et se demander comment engager l'affaire à la prochaine
occasion, comment attaquer ce marché difficile.

Quand le pays fut rouvert, ils prirent bien
garde de ne pas s'y brûler les doigts les premiers
et laissèrent quelques missionnaires anglicans
commettre précipitamment toutes sortes de

bourdes dont ils prirent bonne note. Après la révocation des Édits et la restauration Meiji, ils envoyèrent un petit nombre d'hommes extrêmement qualifiés. Ils exercent aujourd'hui une influence considérable et l'on en chercherait vainement un seul qui ne soit pas, dans un domaine ou un autre, un savant véritable en japonologie. Ils n'essaient pas de catéchiser à tour de bras, ils étudient et préparent l'avenir. Ils savent très bien que leur jour n'est pas venu encore. Sont aussi trop intelligents, trop au fait de la mentalité japonaise et j'ai envie d'écrire : trop bons chrétiens, pour numéroter des conversions sur les motifs desquelles ils ne s'illusionnent pas trop. « La moitié de celles qui m'ont demandé le baptême, m'a dit un de leurs pères, étaient des femmes d'âge critique qui avaient des problèmes affectifs. Dans ces conditions, que voulez-vous, on ne baptise pas. »

De tous les Occidentaux, ce sont eux les plus à l'aise dans « l'espace courbe », dans la géométrie einsteinienne de la psychologie japonaise où la ligne droite n'existe plus.

Eux, les dominicains et quelques puritains anglo-saxons du XIXe sont ceux qui ont le mieux accepté le pays et ceux qui y ont obtenu les meilleurs résultats. Les puritains, ce serait plutôt leur moralisme étroit et impérieux, leur côté têtu et braqué qui leur aurait valu l'estime de leurs ouailles.

Mais tous avaient en commun ceci : ils étaient militants. Le Japon, pays pour militants où il faut à tout propos retourner à l'école, en khâgne, et se conduire en élève docile devant des gens à qui parfois on pourrait en apprendre long.

À cause de cette courbure de l'espace psychologique dont j'ai parlé plus haut, le langage est rempli de trajectoires ingénieuses. De ricochets. D'ordinaire, lorsque les Japonais ont quelque sujet d'importance à débattre, ils cherchent un intermédiaire qui relaiera les questions et les réponses. Lorsqu'on n'a pas cet homme sous la main, cela devient délicat. Deux interlocuteurs seulement se parlant ainsi à bout portant pourraient bien se blesser. Les tournures du langage leur permettent d'adresser alors leurs phrases à une espèce d'instance imaginaire. On ne dit rien qui ne soit suspendu : « *samukashira* » (ce serait-y qu'il ferait froid ?) lorsqu'on grelotte, ou « Bouvier *deskeredomo* » (c'est Bouvier si ça vous arrange, mais...). Vous accrochez votre phrase bien en vue, à mi-chemin entre l'interlocuteur et vous. Il la décrochera si cela l'arrange.

Miroir et Merveille
ont la même mère

Le miroir n'aura vu
que la pierre qui le brise
se blesse en s'étoilant
Mémoire si cher acquise
me ruine en même temps
Hier c'étaient les barreaux
aujourd'hui c'est l'échelle
j'ai fait un quart de tour
et volé le soleil pour me souvenir d'elle
avec deux bras autour.

L'Ikebana du boucher

J'aimerais que le bœuf précise
pourquoi les bouchers aiment tant
les glaïeuls à l'odeur soumise
glaïeuls buveurs de sang
De leurs doigts gras
quand ils disposent
sur l'étal-autel leurs bouquets mignons
c'est par soif de métamorphose
pour renaître agneaux ou moutons.

Chacun sait en Europe que les rues japonaises n'ont pas de nom. Ce qu'on sait moins
c'est que chaque quartier et chaque bloc à l'intérieur du quartier (fût-il de cinq maisons) en
porte un. Et c'est toujours un nom de lieu, jamais un nom propre. Akihabara : la plaine des
feuilles d'automne ; Yotsuya : les quatre vallées ; Nabeyayokocho : le carrefour de la marmite, etc. On ne trouvera pas ici l'équivalent
des square Faidherbe, place Jaurès et rue Sadi-
Carnot. Vous me direz que c'est une consola-
tion qu'on donnait aux coloniaux et aux assas-
sins. Mais ici, même Hideyoshi[1] qui a envahi la
Corée doit s'en passer. Les hommes politiques
(ou leurs veuves) se refusent cette satisfaction
qu'en Europe méridionale on s'accorde si volontiers. « Seule la canaille écrit son nom sur la
muraille » pourrait être un proverbe japonais. Je
vois deux raisons à cet état de choses. Premiè-
rement, avant de baptiser une rue, il faut commencer par la débaptiser car tous les endroits
ou presque ont un nom traditionnel, et cette
opération n'est pas dans l'esprit japonais. Ensuite, le pouvoir ici a toujours été manié par

1. Hideyoshi (1536-1598) : militaire unificateur du Japon
à la fin de l'époque Momoyama. (*N.d.E.*)

personnes interposées et par prête-noms ; la puissance réelle tient donc à rester occulte, et il n'y a pas de raison de prendre trop au sérieux ceux qui ne font que représenter.

Nakano-Ku

Chez les Japonais, une sorte de candeur et de rusticité résiduelle qui se conserve malgré les grandes villes (c'est bien malgré eux que les Japonais y habitent) et qui est assez particulière au pays. Voilà la chaleur, on les voit tous jambes nues, la peau fonçant au soleil, en soques de bois, bien plus proches que nous de la nature.

Mitsui : il fallait voir cette famille la veille de son départ — tous bien persuadés qu'ils ne le reverraient jamais et s'efforçant de n'en rien laisser paraître. Lui, rêvant chaque soir que son *Rucksack* trop lourd l'entraînait au fond de la mer. Elle lui avait préparé des frites épaisses comme le pouce sur leur unique réchaud à gaz, pour ce festin d'adieu... Il y a trois filles dans cette petite chambre derrière la boutique, qui font leurs devoirs à genoux, piochant dans de gros dictionnaires.

La femme de Mitsui se fait du souci pour sa boutique mais elle n'en montre rien, elle s'en fait pour son mari mais elle n'en montre rien, elle fait de cette veille du départ une soirée comme les autres, avec de meilleurs plats et un peu plus d'animation. Je repense à l'adage qui court ici : « *Sengo tsoyoku natta mono wa onna to stocking* » (dans l'après-guerre deux choses sont devenues solides : les femmes et les bas). Les femmes n'en avaient pas besoin.

Départs

Plusieurs fois, des cataclysmes intérieurs ayant réduit mes demeures en cendres et englouti mes quelques biens, j'ai « décampé avec mes bijoux » et m'en suis tiré, la gueule un peu roussie. J'en ai de moins en moins bien sûr, mais ceux qui me restent, on ne peut nier qu'ils aient pris beaucoup d'éclat et de transparence. Deux yeux bruns surtout qui sont à l'autre bout du monde et dans le creux de ma main.

C'est merveilleux, cette cruche de saké en faïence presque blanche que la résine du four a piquetée de points roux, et cette petite soucoupe de bois usé au sable qui a la matière des racines rejetées par la mer est d'une suprême distinction. C'est évident ces qualités, je le sais et j'y prends plaisir, seulement voilà bientôt deux ans que je vis parmi ces merveilles sans que cela m'ait fait avancer d'un pas. Cela me suspend, c'est tout. Me béatifie et me fait taire.

J'aime la vie sauvage, les hérons, les pommiers en fleur, mais lorsque j'aurai contemplé une fleur de pommier toute ma vie, même dans les circonstances les plus favorables, moi avec ma caboche d'Occidental, j'en saurai si peu de plus. C'est que vous en voulez trop, répondront les Japonais, restez donc à votre place et apprenez à regarder par la fenêtre. Mais l'Occidental ne veut pas de place, il veut des trajets, et des cordes sur lesquelles tirer.

Toujours on parle de l'attrait de « l'inconnu », et ce produit continue à se vendre fort bien. Mais c'est pour les paresseux ça : l'inconnu. On ne dit pas comme dans la répétition, le mystère grandit. La femme à laquelle vous êtes retourné dix mille fois : voyez comme elle s'enténèbre et se multiplie. Le bosquet qui vous plaisait tant est devenu forêt domaniale, où il faut semer des cailloux blancs pour ne pas se perdre. Pour moi elle s'est tellement étendue que même au sommet de ma voix je ne parviens presque plus à m'y faire entendre. Chaque matin il y a de nouvelles lieues à parcourir sur ce seul visage, et des provinces entières dont je ne sais encore rien.

Souvent, vers quarante ans, l'homme se fatigue. Il ne veut plus courir, il aspire à plus petit. Il fait alors ses valises et le tour du monde, ou alors il va trouver ce que nous appelons avec tant de clairvoyance « une petite femme ».

Le langage subit la même loi : lorsqu'une chose vous a transporté, il faudrait trouver le bon mot et le répéter encore et encore. Mais le trouve-t-on deux fois en deux lignes, l'éditeur fronce le sourcil ou alors vous prenez vous-même humblement la gomme et cherchez un synonyme, *pour faire plus petit.*

Carte postale

« Et le Japon ?

— À la fin ça devenait agréable.

— Pourquoi donc êtes-vous rentrés alors ?

— Pour faire l'amour, cher monsieur. Cela n'allait plus : en plein hiver, je voyais des grappes de muscat danser dans le ciel, je mettais le verbe avant le sujet, et parfois même, deux cravates l'une sur l'autre. Il fallait bien faire quelque chose.

— J'ai cependant entendu dire qu'au Japon les occasions ne manquaient pas.

— Effectivement, c'est un pays sur lequel on entend dire beaucoup de choses. Et puis je vous répondrai comme l'ami de Chamfort : "Est-ce ma faute à la fin si j'aime mieux les femmes que j'aime que celles que je n'aime pas ?" »

Lexique

Bento : boîte-repas en bois léger.

Burak : paria, synonyme d'*eta*.

Daimyo : seigneur du Japon féodal.

Departo : grand magasin (sans doute de l'anglais *department stores*).

Eleki : de l'anglais *electric*, dans guitare électrique — musique rock japonaise des années 1960.

Ema : ex-voto ou offrande religieuse.

Eta : paria, synonyme de *burak*.

Fondoshi : sous-vêtement.

Fusuma : cloison mobile intérieure, peinte le plus souvent.

Gaijin : étranger.

Gumi : bande, gang.

Kambun : dialecte littéraire sino-japonais utilisé comme langue écrite dans le Japon du Moyen Âge.

Kami : esprit ou divinités de la religion shinto.

Kana : caractère chinois utilisé par l'écriture japonaise.

Kanji : caractère de l'écriture japonaise.

Matsuri : festival rituel shinto lié à la riziculture.

Mon : blason ou monogramme d'un clan.

O Bon : fête des morts qui se déroule à la mi-juillet.

O-jizo : divinité bouddhiste populaire, protectrice des enfants.

Pachinko : jeu de hasard formé d'une sorte de billard électrique vertical.

Rôshi : supérieur d'un monastère zen, et inspirateur, maître de la secte.

Ryokan : auberge.

-san : suffixe de courtoisie.

Sensei : maître, professeur.

Sento : bain public.

Shingon : secte bouddhiste.

Shoji : cloison mobile extérieure, en papier épais sur treillis de bois.

Shoyu : sauce de soja, condiment de base de la cuisine japonaise.

Tamba : céramiques de Tamba, région du centre du Japon.

Tchawan : bol utilisé pour la cérémonie du thé.

Tengu : esprit malin du folklore shinto.

Tokonoma : alcôve destinée à la présentation d'une peinture ou d'un bibelot.

Tsubo : unité de mesure des surfaces, 1 *tsubo* = 3,3 m^2.

Yakuza : nom du crime organisé japonais.

DU MÊME AUTEUR

Aux Éditions Gallimard

LE POISSON-SCORPION, 1982 (Folio n° 2842)
ŒUVRES, coll. Quarto, 2004

Aux Éditions Hoëbeke

L'ŒIL DU VOYAGEUR, textes et photos Nicolas Bouvier, 2001
LE JAPON, textes et photos Nicolas Bouvier, 2002
LE VIDE ET LE PLEIN. Carnets du Japon. 1964-1970, 2004
   (Folio n° 4898)

Chez d'autres éditeurs

L'USAGE DU MONDE, *Droz*, Genève, 1963 ; *Payot*, 1992
LE JAPON, *Rencontre*, Lausanne, 1967
CHRONIQUE JAPONAISE, *L'Âge d'homme*, Lausanne, 1975 ;
   Payot, 1989
BOISSONNAS. Une dynastie de photographes, *Payot*, Lausanne,
   1983
LE DEHORS ET LE DEDANS, poèmes, *Galland*, Vevey, 1982 ;
   Payot, 1983 ; *La Découverte*, 1991
JOURNAL D'ARAN ET D'AUTRES LIEUX, *Éditions*
   24 heures, Lausanne, 1990 ; *Payot*, 1990
L'ART POPULAIRE EN SUISSE, *Éditions Desertina*, Genève,
   1991 ; *Zoé*, Carouge, 1999
ROUTES ET DÉROUTES. Entretiens avec Irène Lichtenstein-
   Fall, *Métropolis*, Genève, 1992
LE HIBOU ET LA BALEINE, *Zoé*, Carouge, 1993

LES CHEMINS DU HALLA SAN OU THE OLD SHIT-TRACK AGAIN, *Zoé*, Carouge, 1994

L'ÉCHAPPÉE BELLE. Éloge de quelques pérégrins, *Métropolis*, Genève, 1996

ENTRE ERRANCE ET ÉTERNITÉ. Regards sur les montagnes du monde, *Zoé*, Carouge, 1998

UNE ORCHIDÉE QU'ON APPELA VANILLE. Description véritable de l'histoire, des tribulations et vertus d'une plante aromatique. 1535-1981, *Métropolis*, Genève, 1998

LA CHAMBRE ROUGE et autres textes, *Métropolis*, Genève, 1998

LA GUERRE À HUIT ANS et autres textes, *Zoé*, Carouge, 1999

DANS LA VAPEUR BLANCHE DU SOLEIL. Les photographies de Nicolas Bouvier, *Zoé*, Carouge, 1999

LE CORPS, MIROIR DU MONDE. Voyage dans le musée imaginaire de Nicolas Bouvier, *Zoé*, Carouge, 2000

HISTOIRES D'UNE IMAGE, *Zoé*, Carouge, 2001

TÉMOINS D'UN MONDE DISPARU, avec Ella Maillart, *Zoé*, Carouge, 2002

BLEU IMMORTEL. Voyages en Afghanistan, avec Annemarie Schwarzenbach et Ella Maillart, *Zoé*, Carouge, 2003

POUSSIÈRES ET MUSIQUES DU MONDE. 1 CD, *Zoé*, Carouge, 2004

LECTURES DE CHARLES-ALBERT CINGRIA, *Zoé*, Carouge, 2005

LES LEÇONS DE LA RIVIÈRE, photographies de Francis Hoffmann, coédition *Zoé/JPM*, Carouge, Lausanne, 2006

CORRESPONDANCES DES ROUTES CROISÉES : 1945-1964, avec Thierry Vernet, *Zoé*, Carouge, 2010

COLLECTION FOLIO

Composition Nord Compo
Impression Novoprint
à Barcelone, le 12 juillet 2012
Dépôt légal : juillet 2012
1ᵉʳ dépôt légal dans la collection : avril 2009

ISBN 978-2-07-036130-4./Imprimé en Espagne.